www.tredition.de

Freddy D.

Neun Sommer und ein leerer Winter

Autobiografischer Roman

www.tredition.de

© 2020 Freddy D.

Verlag & Druck: tredition GmbH, Halenreie 40-44, 22359 Hamburg

ISBN
Paperback: 978-3-347-06506-2
Hardcover: 978-3-347-06507-9
e-Book: 978-3-347-06508-6

Inhalt

Wie alles begann

Kennengelernt haben wir uns – wie sollte es auch anders sein – im Internet. Bei einer der vielen Singlebörsen. Ein ideales Medium jemanden kennenzulernen für alle, die alleine nicht gerne etwas unternehmen, oder einfach zu wenig Zeit haben, sich neben Familie und Beruf noch auf die „körperliche" Ausschau nach einem adäquaten Partner zu machen. Ich war schon mehrere Jahre dabei, hatte mich zwischenzeitlich abgemeldet, da letztendlich der Erfolg ausgeblieben war. Klar hatte ich mich mit einigen Frauen getroffen, aber bisher war es immer an irgendetwas gescheitert, und sei es an der Tatsache, dass ich in dieser Zeit alleinerziehender Vater zweier Jungs war, die ich elf Jahre lang alleine großgezogen habe, und ich des Öfteren den Satz hörte, „ach deine Buben sind bei dir?", womit das Thema erledigt war. Seit März bin ich jetzt wieder angemeldet.

Und so erhalte ich eines Tages, im Sommer, die Zuschrift einer Dame, Helga. Natürlich unter einem Pseudonym. Mein Anzeigentext ist ihr angenehm aufgefallen:

Suche (= hätte gern) die Frau, die mich manchmal bremst, manchmal aufbaut und manchmal auffängt – eine, der es vielleicht genauso geht .... Mehrere Jahre habe ich meine beiden Jungs alleine großgezogen. Inzwischen sind sie aus dem Gröbsten raus, lassen mir mehr und mehr Freiraum.

(Höchste!) Zeit, mal wieder (mehr) an mich zu denken. Welcher „Sie", humorvoll und nachdenklich, unabhängig und anlehnungsbedürftig, romantisch und gefühlvoll, geht es vielleicht ähnlich?

Helga hat auch zwei Kinder, eine Tochter, die schon seit Jahren nicht mehr bei ihr wohnt und einen jüngeren Sohn, der studiert. Beruflich sind wir vom gleichen Fach, ich bin Techniker, sie Ingenieurin, Dipl.Ing. Maschinenbau, damals noch im Angestelltenverhältnis. Schwierig ist aus meiner Sicht die große Entfernung zwischen uns. Mir wäre es niemals eingefallen, eine Frau anzuschreiben, die zweihundert Kilometer entfernt wohnt, für Helga spielt das keine Rolle.

Wir haben gechattet, oft gechattet. Es hat sich schon ein klein wenig Vertrauen aufgebaut. Dann eines Tages der Schreck: Im ganzen Forum ist ihr Pseudonym nicht mehr zu finden, es ist gelöscht. Ich bin entsetzt, was ist geschehen? Ist ihr etwas zugestoßen? Hat sie einen anderen kennengelernt? Alles falsch. Es dauert nicht lange, da erhalte ich eine Zuschrift unter einem anderen Pseudonym. Von Helga! Geheuer ist mir das nicht. Aber, sie hat es mir plausibel erklärt: Sie hat sich beim Datingportal unter einem neuen Pseudonym wieder angemeldet, da die Zeit, die sie mit ihrem alten kostenlos surfen durfte, abgelaufen war. Mit ihrer schottisch-sparsamen Art bringe ich das damals noch nicht in Zusammenhang. Das Chatten geht weiter. Inzwischen haben wir beide Geburtstag gefeiert, zunächst ich, wie immer im großen Rahmen mit Freunden und Verwandten, einige Tage später Helga. Zusammen mit ihrer besten Freundin, Elke, ging sie Pizza essen. Wir entschließen uns, Telefonnummern und E-Mail-Adressen auszutauschen. Es soll ja schließlich weitergehen. Wir telefonieren oft zusammen, führen lange Gespräche. Und wir mailen. In der ersten Mail geht es um ein berufliches Problem, liegt ja auf der Hand, sich darüber auszutauschen, wenn beide vom gleichen Fach sind. Sie schreibt, ich hätte „wieder mal recht gehabt", was mich natürlich sehr freut und auch ein klein wenig stolz macht.

Dann endlich ist es soweit. Wir treffen uns das erste Mal. Auf ihren Vorschlag hin in Neustadt, zentral zwischen unseren Wohnorten gelegen, wo ihr Sohn Dieter, zusammen mit seiner damaligen Freundin, eine kleine Studentenwohnung hat. Dort sehen wir uns das erste Mal. Helga erwartet mich mit ihrer Zwergschnauzerhündin Leni, ich übergebe ihr lachsfarbene Rosen aus meinem Garten, wir unterhalten uns ein wenig und beschließen dann, essen zu gehen. In einem kleinen Restaurant sitzen wir im Biergarten, Helga wählt geröstete Maultaschen, ich ein Rinderhüftsteak, dazu gibt's zwei Tafelwasser und im Anschluss noch einen Kaffee und einen Cappuccino. Natürlich lade ich sie dazu ein. Anschließend möchte Helga nochmals in die kleine Wohnung. Hoppla, denke ich! Es bleibt bei diesem „hoppla", wir verabschieden uns. Am nächsten Tag schickt sie mir eine Mail, mit einem Foto der Rosen, und freut sich darüber, wie gut sie sich, nach einigen Stunden in der Vase, wieder erholt haben.

Ein paar Tage später besucht sie mich, nachmittags, auf einen Kaffee. Diesmal ist ihr Afghanischer Windhund Cäsar mit dabei. Es herrscht eine angenehme Atmosphäre. Sie erzählt mir u.a., dass sie sich einen lang gehegten Wunsch erfüllen wolle, sie beabsichtigt, nächste Woche mit ihrem Sohn in die Niederlande zu fahren und ein wunderschönes weißes Cabrio mit roten Ledersitzen zu kaufen, dort sei es weitaus günstiger zu erwerben als bei uns. Sie verabschiedet sich und keine Stunde später klingelt das Telefon: Helga. Sie steht auf der Autobahn im Stau und nutzt diese Zeit, um mich zu fragen, wie ich mir mein Leben in den nächsten fünf bis zehn Jahren vorstellen würde. Kann ich ihr auf die Schnelle nicht beantworten ...

Nach einigen weiteren Telefonaten lädt sie mich zu sich nach Hause ein. Aufgeregt und voller Vorfreude fahre ich zu ihr. Sie steht im Garten, an das Kellertreppengeländer gelehnt, so, als habe sie schon den ganzen Nachmittag auf mich gewartet. Ihr weißes Cabrio steht in der Garage. Ein wirklich edles Teil. Es ist herrliches Wetter, wir sitzen auf ihrer Terrasse, unterhalten uns angeregt, trinken Kaffee. Am Abend entschließen wir uns zum Essen in die nächste Stadt, Loden, zu fahren. In einer Tiefgarage parken wir das Auto, und als wir Richtung Altstadt gehen, berühren sich zum ersten Mal unsere Finger, dann unsere Hände ... es ist ein unbeschreiblich schönes Gefühl. Wir essen in einem urigen Lokal und fahren anschließend wieder zu ihr, wo wir noch einen angenehmen Abend auf der Terrasse bei Rotwein und Kerzenschein verbringen.

Zum Übernachten hat sie mir das Gästezimmer hergerichtet, das ehemalige Kinderzimmer ihrer Tochter. Beim Gutenachtsagen frage ich sie, ob sie nicht ein wenig mit mir kuscheln wolle. Sie will, und so ziehen wir uns ins Gästezimmer zurück, kuscheln, bis, ja bis sie plötzlich aufsteht, wortlos verschwindet und kurz darauf zurückkommt. „Gut, wenn Mutter weiß, wo Junior seine Utensilien hat!" Sie hat Kondome geholt! Wir sind beide, nach ziemlich langer Zeit der Enthaltsamkeit ausgehungert, aber im Umgang mit „Parisern" leider – oder besser gesagt, zum Glück – überhaupt nicht geübt. Mit den Worten, „Scheiß auf das Kondom", wirft sie es in hohem Bogen aus dem Bett, und, es geht auch ohne!

Nach einem ausgiebigen Frühstück, bei dem es an nichts fehlt, sogar an Blümchen hat sie gedacht, fahren wir am anderen Tag ins Allgäu. Natürlich mit ihrem neuen weißen Cabrio mit den roten Ledersitzen! Schon die Fahrt dahin ist ein Erlebnis, den Bergen immer näher zu kommen, diese Luft ... es ist, als würden wir in Urlaub fahren. Und Helga ist eine hervorragende Autofahrerin. Ein Spaziergang ist angesagt, zu einem kleinen See. Von wegen Spaziergang! Hätte es werden können, wenn, ja wenn wir an einer

Abzweigung nicht falsch weitergegangen wären. Und so wird aus einem geplanten kleinen Spaziergang eine regelrechte Gewalttour. Es geht steil bergauf, wenn wir denken, ab da oben muss es doch wieder bergab oder zumindest eben weitergehen, geht es wieder bergauf und wieder und wieder. Wir sind beide geschlaucht, es ist heiß. Leni gefällt's. Endlich kommen wir zu einer bewirtschafteten Hütte, gerade noch rechtzeitig, um einem qualvollen Tod durch verdursten zu entkommen. Nach einem langen Abstieg fahren wir wieder heim zu Helga.

An diesem Abend, in dieser Nacht, darf ich in ihrem Schlafzimmer übernachten, die beiden Hundekörbe werden ins Wohnzimmer ausgelagert. Es wird wieder eine wunderschöne Nacht.

Am nächsten Morgen, eigentlich ist es schon Mittag, nach einem wiederum reichhaltigen Frühstück, das keine Wünsche offenlässt, verabschiede ich mich von ihr, schweren Herzens, aber auch bereits voller Vorfreude auf das nächste Wochenende.

Der Schock

Freitag nachmittags fahre ich wieder freudig zu Helga. Schon bei der Begrüßung wirkt sie bedrückt. Am Abend sagt sie es mir. Bei einer Untersuchung ist festgestellt worden, dass sie operiert werden muss. Ein Schock. Sie erträgt dieses Los tapfer. Unsere gerade erst begonnene Beziehung möchte sie beenden, sagt, das sei ihr Schicksal, da müsse sie jetzt durch und sie wolle mich nicht mit reinziehen. Dem widerspreche ich ganz entschieden, will sie in dieser schweren Zeit doch nicht alleine lassen! Wir stehen im Schlafzimmer, beide den Tränen nah, aber wir unterdrücken sie. Mit Sicherheit wäre es hier nicht verkehrt gewesen, einander zu umarmen und unseren Gefühlen und Tränen freien Lauf zu lassen. Aber, im Zeigen von Gefühlen sind wir beide keine Experten, und jeder will dem anderen signalisieren, ich bin stark, das schaffen wir.

An diesem Tag steht für mich außer Frage, dass ich alles in meiner Macht Liegende tun werde, um die Frau, die ich liebe, in allem zu entlasten.

Es sollte viel werden, sehr viel.

Helga wird im Oktober operiert. Gleich nachdem sie wieder auf ihrem Zimmer ist, schreibt sie mir eine SMS, dass es ihr gut gehe und alle supernett seien.

Für Helga und mich ist die Zeit nach der OP sehr schwierig, wir sind unsicher, vor allem ich, wie wir uns verhalten sollen. Sie liest sehr viel, ich löse Sudokus, möchte sie schonen, alle Aufregung von ihr fernhalten.

Inzwischen wissen wir schon einiges voneinander. Ich habe ihr viel von meiner zunächst glücklichen Kindheit erzählt, dem frühen Unfalltod meiner Mutter als ich vierzehn Jahre alt war, und von der schlimmsten Zeit meines Lebens, die dann begann, mit meinem Vater, der schwer alkoholkrank war.

Von meiner ersten Ehe nur so viel, dass ich mit meiner Frau beinahe täglich Streit hatte, und dass streiten in einer Beziehung für mich nie mehr in Frage kommen würde. Wie sie mich dann wegen eines anderen verlassen hat, nach zwei Jahren reumütig vor der Tür stand, und für eineinhalb Jahre wieder unentgeltlich bei mir Unterschlupf fand, in einer Einzimmerwohnung, die ich kurz zuvor, so „nebenbei", fertiggestellt hatte. In der ehemaligen Werkstatt meines Opas, in der schon viele Jahre zuvor eine Zweizimmerwohnung von mir ausgebaut und vermietet worden war.

Und natürlich von der schwierigen Zeit als alleinerziehender Vater, in der ich neben Erziehung, Schule und Hobby meiner Jungs – dem Ringen – sowie meinen beiden damit verbundenen ehrenamtlichen Tätigkeiten noch Beruf, Haushalt und Garten unter einen Hut bringen musste.

Von ihrer Kindheit erzählt Helga nichts. Sie beginnt mit der Zeit, als sie ihren Ex, Heinrich, kennenlernte, der über ein Dutzend Jahre älter war als sie und wie sie damals zusammen mit dessen Nichte Karola und deren Freund Dimitrios, einem steinreichen Griechen in Heinrichs Alter, um die Häuser zogen. Und sie erzählt mir, dass ihre Eltern mit Heinrich als Ehemann nicht einverstanden waren. Konsequent hatte sie daraufhin jeglichen Kontakt zu ihnen abgebrochen, über fünfundzwanzig Jahre lang, bis vor zwei Jahren, als ihr Vater erkrankte, und sie von Heinrich bereits getrennt war. Von ihrer Ehe spricht sie oft, was mich erstaunt. Immer wieder zählt sie die negativen Eigenschaften ihres Ex auf, dass sie ihm alles fünfmal sagen und seinen Dreck wegputzen musste, wenn er im Haus gearbeitet hatte, und einiges mehr, vor allem aber, dass er ständig fremdgegangen sei. Wenn sie so etwas jemals in unserer Beziehung feststellen würde, wäre das für sie ein sofortiger Trennungsgrund.

Wir sind zwischenzeitlich so übereingekommen, dass ich die Wochenenden bei ihr verbringe und wir unter der Woche jeden Abend miteinander telefonieren. Nur an einem Wochenende kommt sie zu mir, wir besuchen zusammen meine Stammkneipe, wo ich ihr meine beiden Freunde Fritz und Bernhard vorstelle, und einmal schauen wir uns einen Mannschaftskampf im Ringen an.

Ich komme inzwischen immer mit der Bahn zu ihr, kann direkt bis nach Loden fahren, wo sie mich freitags abholt und sonntags wieder hinbringt. Die Zugfahrt ist entspannender als mit dem Auto zu fahren, und dauert mit dreieinhalb Stunden – ein Weg – in etwa so lange wie mit dem Auto bei Stau. Und Staus hat es jedes Mal gegeben.

Montags nach so einem Wochenende teilt sie mir gleich zu Beginn des abendlichen Telefonats mit, dass sie unsere Beziehung beenden wolle.

Ich falle aus allen Wolken, damit hatte ich absolut nicht gerechnet, frage was ich falsch gemacht hätte. Nein, ich hätte nichts falsch gemacht ... sie würde es mir schreiben ...

In der folgenden Mail schreibt sie, dass sie zu Beginn unseres Kennenlernens dachte, es würde zwischen uns passen, sich mit der Zeit aber ihr Bauchgefühl meldete, das sie zunächst verdrängte.
Aber am Sonntagmorgen sei ihr klar geworden, dass ich nicht der Mann sei, mit dem sie für immer zusammenleben wolle. Sie könne nicht alleine der Motor in einer Beziehung sein, sie bräuchte mehr Lebendigkeit, Unternehmungen, und vor allem das Gefühl Liebe, ohne das ein Zusammenleben für sie nicht in Ordnung sei.
Dann bedankt sie sich noch für das, was ich für sie getan habe.

Ich bin fassungslos. Das kann doch nicht wahr sein, schreibe ihr folgende Mail zurück:

Hallo Helga,

wie hatte ich mich auf gemeinsame Aktivitäten mit Dir gefreut!! Wie schön wäre es, bei „Ausfahrwetter" rein in die Kiste und ab – egal wohin! Rothenburg o.d.T., Bodensee, Tessin, Toscana .... stelle ich mir einfach herrlich vor ....

Auch wenn ich die letzten Wochen(enden) ziemlich ausgepowert war, wäre ich zu gern – wie ich es gewohnt bin – mit Dir „um die Häuser gezogen" – egal zu welchem Anlass, Hauptsache raus. Den ganzen Tag/Abend auf dem Sofa zu verbringen ist absolut nicht meine Art, war es noch nie. Noch nie zuvor hatte ich den Freitagskrimi oder „Wer wird Millionär?" gesehen. Ich habe es dennoch genossen, weil Du in meiner Nähe warst. Du hast nie den Eindruck erweckt (außer am letzten Samstagabend, als Du zum Ringen fahren wolltest – blöd von mir, ich wollte es Dir nicht zumuten, dachte, es sei mir „zuliebe"), als würdest Du irgendetwas vermissen, und ich dachte mir, nach Deiner OP würde alles noch etwas dauern, ja, ich wollte Dich schonen (Zitat: „lesen und schonen ist angesagt"), dachte wirklich, das sei im Moment noch das Beste für Dich, wusste echt nicht, wie ich mich verhalten sollte ... Schade, dass wir nie darüber gesprochen haben – ein Wort von Dir, ein kleiner Hinweis hätte genügt. Stattdessen habe ich – das erste Mal seit vielen Jahren – aus Langeweile Sudokus gelöst ...

Liebe ... Liebe muss wachsen. Nach unserem ersten Treffen hätte ich mir nie träumen lassen, dass „mehr" daraus wird. Aber, Du hast mir von Mal zu Mal besser gefallen, ich habe angefangen, Dich lieb zu haben/Dich zu lieben, freute mich

16

auf das Zusammensein mit Dir, habe Dich vermisst, wenn Du nicht bei mir warst, musste über vieles bei Dir schmunzeln, habe mich in Deiner Nähe einfach wohl gefühlt, egal, ob wir Glühwein tranken, Immergrün pflanzten, zusammen lachten, oder irgendetwas anderes taten, „was Spaß macht". Ist es nicht irre? Da telefoniert man täglich – und sagt sich nichts???? Ich habe zwar mal vor einiger Zeit zu Dir gesagt, Du würdest ganz anders wirken, als Du bist – aber, dass Du Dir auch mehr Aktivitäten gewünscht hast, das habe ich nicht gesehen und auch nicht herausgehört.
Nein, ich dachte wirklich, Du seist so „zufrieden", und war's dann auch – in Deiner Nähe. Ein Wort von Dir hätte genügt. Danke, es war eine wunderschöne Zeit mit Dir – und es hätte noch viel schöner werden können, wenn Du einmal etwas gesagt hättest. Sag' was!!

Freddy

PS: Meinen Ausspruch vom Samstagabend (in anderem Zusammenhang) möchte ich noch etwas ergänzen: ... doch, wir sprechen miteinander, aber wir sagen uns leider nicht das Wesentliche ...

Wenige Minuten später kommt ihre Antwort. Sie ist äußerst gerührt ...

An dieser Stelle könnte die Beziehung und damit die Geschichte enden, aber es wird noch eine lange Nacht. Wir

simsen, telefonieren, wieder und wieder, ich trinke zwei Flaschen Rotwein und am Ende stellt sie mir diese eine Frage:
„Kommst Du nächstes Wochenende??!"

Neustart

Helga hat ein geräumiges Haus. Das EG hat eine Grundfläche von weit über hundert Quadratmetern, das DG ist ausgebaut und im Keller befinden sich neben den üblichen Kellerräumen noch ein Hobbyraum und eine Einliegerwohnung. Das Haus, ein Fertighaus, steht auf einem Grundstück, etwa anderthalbmal so groß wie meins in Neudorf, mit einer riesigen Rasenfläche, einigen Koniferen, Ziersträuchern und einer Trauerweide. Blumen, Obstbäume und -sträucher oder einen Nutzgarten sucht man vergebens.

Schon gleich nach unserem Kennenlernen haben wir damit begonnen, in diesem Garten Unkraut zu jäten. Helgas Hauptaugenmerk liegt dabei auf einer Böschung, die, um die Einliegerwohnung gelegen, es ermöglicht, dass große Fenster eingebaut werden konnten. Ursprünglich mit Rasen versehen, ist sie jetzt übersät von Ackerwinden, Disteln und sämtlichen Unkräutern, die man sich nur vorstellen kann. Nach etlichen Stunden Arbeit haben wir alles im Griff, die Böschung ist unkrautfrei. Wir beraten, wie wir sie am besten neu anlegen. Rasen halten wir beide für keine gute Lösung, besser erscheint uns eine Bepflanzung mit Immergrün als Bodendecker. Dieses besorgen wir uns am Wochenende darauf in einer Staudengärtnerei, pflanzen es ein. Es macht mir Spaß, mit Helga zu gärtnern, sie ist sich für keine Arbeit zu schade. Wenn man ihr so zuschaut, in ihrem Outfit, könnte man nicht glauben, dass sie Akademikerin ist. Ihre Arbeitshose hat mehr Löcher als Hosentaschen!

In der Folgezeit beginne ich, mich im Haus nützlich zu machen. Da ich handwerklich recht geschickt bin, sehe ich sofort, was wo im Argen liegt, wo die Schwachstellen sind. Auf der Terrasse haben sich einige Natursteinplatten gelöst. Noch bevor es Winter wird, und der Frost größeren Schaden anrichten kann, lege ich sie in frischen Mörtel und fuge sie aus. Und ich säge bei einigen Koniferen, die vor Jahren gegipfelt worden waren, die hässlich nach oben stehenden Stämme ab, bis auf Höhe der obersten seitlich austreibenden Äste.
Mit Einbruch des Winters verlagern sich meine Tätigkeiten ins Hausinnere. Als Erstes richte ich die Türen, die schlecht schließen oder auf dem Boden schleifen, stelle die Bänder nach. Vor allem die Badtür im DG hat dies bitternötig. Helgas Sohn Dieter erfährt von diesen Reparaturarbeiten auf seine Weise, als er die Tür mit dem normalerweise benötigten Schwung öffnet und danach beinahe in der Badewanne landet. Nach den Türen sind die Fenster dran. Ich stelle sie ein, so dass sie wieder gut schließen, öle alle Scharniere. Für die Badewanne besorge ich bei uns in einem Fachgeschäft einen verchromten Badewannenstöpsel, bringe ihn mit. Im Gästeklo muss der Zugknopf der Toilettenspülung repariert werden, und im Bad fehlt bei einem Auflagestopfen für den Toilettensitz eine Schraube. Kein Problem, in Helgas Werkstatt werde ich fündig. Dort gibt es alles, was man sich nur

vorstellen kann. Helga ist mit Schrauben, Dübeln und sämtlichem Werkzeug noch besser ausgestattet als ich. Die Terrassentür erhält einen Haken, damit sie auch von außen geschlossen werden kann, im Schlafzimmer hängen wir einige Bilder auf und Helga bestellt eine durchgehende Latexmatratze.

In dieser Zeit bekommen wir einen neuen Mitbewohner: Willi. Helga hat ihren Eltern diesen Zwergschnauzer vor einigen Tagen besorgt, aber Herr und Frau Schmitt kommen nicht mit ihm zurecht. Willi ist ein richtiger Rabauke. Helga erklärt sich bereit, ihn zu übernehmen und ihren Eltern dafür Leni zu überlassen, obwohl es sie äußerst schmerzt, diesen Hund, den sie so liebgewonnen hat, wegzugeben, zumal auch Cäsar und Leni immer ein Herz und eine Seele waren. Willi darf anfangs nur an einer langen Leine in den Garten, aber er wird langsam ruhiger. Helga arbeitet viel mit ihm, sie hat die Herausforderung ihm Gehorsam beizubringen angenommen. Sie stellt sich jeder Herausforderung, „liebt" sie geradezu.

Der erste Advent steht vor der Tür. Helga hat drei Adventskränze gekauft, einen für Dieters Studentenwohnung, einen für mich zuhause und einen stellt sie auf den Esszimmertisch. Bis Weihnachten wird noch einiges an Deko folgen, nicht übertrieben viel, dezent und geschmackvoll. Heiligabend wollen wir dieses Jahr natürlich gemeinsam feiern, bei Helga. Meine beiden Jungs haben dafür Verständnis, wir verlegen die Bescherung und das Weihnachtsessen auf den frühen Nachmittag. Ich habe Hirschgulasch zubereitet und dieses so reichlich bemessen, dass ich noch genügend mit zu Helga und Dieter nehmen kann. Nachdem die Küche sauber ist, bringt Martin, mein Ältester, mich nach Grölingen.

Mein Zug fährt um 16:19 Uhr, wie immer habe ich eine Platzreservierung. Der Bahnhof ist menschenleer, ebenso der Zug. Ich habe einen ganzen Wagen für mich alleine. Kurz nach 18 Uhr komme ich in Loden an, Helga erwartet mich schon auf dem Bahnsteig, es ist ein rührender Empfang. Wir verbringen unser erstes gemeinsames Weihnachtsfest und nach ein paar erholsamen Tagen fahren wir an Silvester zu mir. Mit Helgas Auto und mit Cäsar und Willi.

Die Silvesterfeier findet dieses Jahr bei uns statt, wir haben meine Freunde Fritz und Bernhard mit ihren Frauen Inge und Ute dazu eingeladen. Für unser Silvestermenü haben Bernhard und Ute die Vorspeise mitgebracht, Fritz und Inge das Dessert und Herzhaftes für danach. Helga und ich haben zweierlei Braten im Ofen. Auch für Getränke ist reichlich gesorgt, es wird eine wunderschöne feucht-fröhliche Feier. Kurz vor 24 Uhr begeben wir uns mit Sekt, Gläsern und Feuerwerkskörpern vors Haus, stoßen um null Uhr auf das neue Jahr an. Als Helga und ich uns umarmen, küssen, sind wir für einen Moment die einzigen zwei Menschen weit und breit. Ich freue mich auf dieses neue Jahr mit Helga, der Frau, die ich liebe.

Es ist ein kalter Winter dieses Jahr, und bei Helga in Altheim liegt viel Schnee. Aber irgendwann im Februar steigen die Temperaturen und es beginnt zu tauen. Auch im Haus! Im Erdgeschoss tropft es an mehreren Stellen von der Decke! Wasserleitungen und eine Heizungsleitung im Dachgeschoss waren über Winter eingefroren, sind geplatzt und tauen allmählich wieder auf. Ein Horrorszenario. Und leider hausgemacht. Um Heizkosten zu sparen, waren vor Jahren im ganzen Haus die ursprünglichen Thermostatventile gegen solche ohne Frostschutzfunktion ausgetauscht worden. Sowohl Erd- als auch Dachgeschoss werden schon immer hauptsächlich mit Holzöfen beheizt. Die Heizung muss abgestellt werden, auch das Wasser. Gut, dass das Haus über separate Absperrventile für das Dachgeschoss verfügt. Ein Sanitärinstallateur, Gerhard, der später zu einem guten Freund des Hauses werden sollte, ist einige Wochen mit der Erneuerung sämtlicher defekter Leitungen beschäftigt. Zum Glück trocknet alles wieder recht schnell, Helga streicht unter der Woche die verfärbten Decken, und am Ende bleibt nur noch der Schrecken und das Bewusstsein, so etwas darf nicht mehr passieren.

Die Arbeiten im Haus gehen weiter. Helga hat sich vorgenommen, den alten Teppichboden im Gästezimmer und im Flur, der vom Wohnbereich zu zwei Schlafzimmern führt, durch Laminat zu ersetzen. Wir räumen das Gästezimmer aus, und unter der Woche entfernen Helga und Dieter die alten Beläge. Am ersten darauffolgenden Wochenende legen Helga und ich das Laminat auf Trittschalldämmung im

Gästezimmer, montieren Sockelleisten und räumen alles wieder ein. Am Wochenende darauf lege ich Laminat im Flur. Der ist sehr schmal, aber ellenlang, hier kann und muss man nicht zu zweit arbeiten. Anschließend bringe ich auch hier noch Sockelleisten an, und im ganzen EG neue Fußboden-übergangsleisten.

Und schon ist Ostern. Helga hat ihre Eltern zum Kaffee eingeladen. Sie warnt mich vor, ihr Vater sei leicht dement und ihre Mutter schwierig. Ich bin auf alles vorbereitet. Sie bringen einen wunderbaren Kuchen mit, den Frau Schmitt gebacken hat. Wir sitzen zu fünft um den Esstisch, es geht sehr eng zu, der Raum ist begrenzt durch einen gemauerten Kamin, an den ein Ofen angeschlossen ist. Für den sechsten Stuhl ist kein Platz, er steht im Speicher. Der Nachmittag verläuft sehr angenehm, Frau Schmitt erzählt recht viel, Herr Schmitt eher wenig bis gar nichts.

Jetzt also haben sie mich kennengelernt – und ich sie.

Einige Zeit später kommt Helgas Vater ins Pflegeheim. Seine Frau besucht ihn täglich, ist sehr darauf bedacht, dass er immer sauber angezogen ist. Das Waschen und Bügeln seines Outfits betreibt sie mit sehr viel Fürsorge. Vorbildlich.

Als er Monate später im Krankenhaus stirbt, „erbe" ich seine frisch gewaschenen, frisch gebügelten Schlafanzüge, alle mit seinem Namen versehen.

In diesem Frühjahr lerne ich auch Helgas Tochter Barbara und ihren Freund kennen. Gemeinsam mit den Großeltern und Dieter sitzen wir unter Helgas großer Trauerweide. Sie wollen im Juni heiraten, die Einladung erhalten wir kurze Zeit später per Post. Darin werde ich nicht namentlich erwähnt, nur als Helgas „Anhang". Juckt mich nicht, zeitgleich findet Martins Abifeier statt, Helga und ich gehen an diesem Wochenende „getrennte Wege". Nach der Hochzeit ist irgendwann totale Funkstille zwischen Helga und ihrer Tochter, die schon immer ein „Papakind" war. Sie haben sich nichts mehr zu sagen.

Um uns ein wenig zu erholen und mal etwas anderes zu sehen, vielleicht auch, weil es einfach dazugehört, fahren wir in diesem Frühjahr/Frühsommer für jeweils einen Tag ins Allgäu und an den Bodensee.

Meinen Geburtstag feiere ich noch einmal in großem Rahmen zuhause in Neudorf. Helga kann leider nicht kommen, sie ist beruflich verhindert. Aber, sie schickt mir über eine Rosenschule einen herrlichen Rosenstock, den ich tags darauf in den Garten pflanze.
Über Helgas Geburtstag, es ist ein runder, nehme ich meinen Jahresurlaub, will unbedingt bei ihr sein. Leider ist sie auch an diesem Tag beruflich unterwegs. Mit ihrem Chef zusammen nimmt sie einen wichtigen Auswärtstermin wahr, kommt erst spät nach Hause. Im engsten Familienkreis, zu dritt, gehen wir noch essen.

Helga arbeitet im Homeoffice, kann sich ihre Zeit frei einteilen. Von Montag bis Donnerstag immer etwas länger, um den Freitag frei zu haben. Ihr Arbeitszimmer hat sie im Dachgeschoss eingerichtet, zusätzlich einen Raum, in dem sie diverse Geräte und Unterlagen aufbewahrt, die sie für ihre Tätigkeit benötigt. Wir sind schon oft zusammen oben gesessen, sie hat mir gezeigt, dass es an einigen Stellen durch die alten Holzpaneele zieht. Wie damals beschlossen, widmen wir uns während meines gesamten Urlaubs, nachdem wir den Garten im Frühsommer soweit in Schuss gebracht haben, den Renovierungsmaßnahmen. Helga hilft fleißig mit, sie weiß genau, wo sie anpacken muss. Wir arbeiten hervorragend zusammen, sind ein eingespieltes Team. Auch sie ist handwerklich sehr versiert, entkalkt regelmäßig die Perlatoren, kann ein Zylinderschloss austauschen und sämtliche technischen Geräte perfekt bedienen, und selbst von der Technik in einem Auto hat sie mehr Ahnung als ich. Zunächst schaffen wir Platz. Dann lösen wir die alten Nut- und Federbretter – in beiden Räumen und im Flur. Die Dachlatten der Unterkonstruktion haben eine Stärke von drei Zentimetern, wir besorgen entsprechend starke Styroporplatten und bringen diese als zusätzliche Isolierung auf der, zwischen den Sparren liegenden alukaschierten, Mineralwolle an. Danach noch eine Konterlattung, auf die wir Rigipsplatten schrauben, fugen die Übergänge aus und fertig ist ihr Arbeitszimmer. Den Flur fugt später Dieter aus. In dem anderen Raum bringen wir statt der Rigipsplatten weiße Holzpaneele an. Als krönenden Abschluss isoliere ich noch den

Kniestock von Bad und Küche und die im Stauraum hinter dem Kniestock verlegten Wasserleitungen mit zehn Zentimeter starkem Styropor. Gerhard hatte sie auf meinen Vorschlag hin den Boden entlang gelegt und nicht mehr an den Sparren befestigt. Das alles spielt sich natürlich im Stauraum hinter dem Kniestock ab, im Hochsommer ... und da ich schon mal dort bin, ändere ich tags darauf gleich noch den Verlauf des 100-er HT-Rohrs (=Abwasserrohr) der Toilette, da die Fäkalien immer den Ablauf der Dusche gestört hatten ... aber nicht genug damit. Da sich die HT-Rohre nicht auf Anhieb auseinanderziehen lassen, bringt mir Helga, nach Recherchen im Internet, einen Föhn! Der schafft zwar keine Abkühlung, aber damit geht's. Durchs Erhitzen gelingt das Auseinanderziehen kinderleicht. Es ist immer noch Hochsommer, unvorstellbar heiß, und mir läuft die „Brühe sonstwo" zusammen. Und ich befinde mich immer noch in diesem engen, stickigen Stauraum! Als ich wieder ins „normale" Dachgeschoss komme, in dem es angenehme 35 – 40 Grad Celsius hat, fange ich an zu frieren! Heia Safari, danke, für heute bin ich bedient!

Dieter hat sich mittlerweile von seiner Freundin getrennt, den Studienort gewechselt, macht ab Oktober in Loden weiter. Seine Studentenwohnung ist gekündigt. Er bekommt jetzt die Dachgeschosswohnung, das Gästezimmer wird Helgas neues Arbeitszimmer, Dieters ehemaliges Kinderzimmer das neue Gästezimmer. Helgas berufliche Gerätschaften etc. wandern in den Keller. Bevor Dieter einzieht, lege ich im Schlafzimmer einen Teppichboden, er in der ganzen übrigen Wohnung Laminat. Alleine! Das ist stark. Rechtzeitig vor Ablauf des Mietvertrags räumen wir die Studentenbude in Neustadt leer, bis auf die Küche bringen wir alle Möbel zu Helga. Die Küchenmöbel schrauben wir auseinander. Kevin, mein jüngster Sohn, wird sie bekommen. An einem Samstag treffen wir (Helga, Dieter und Willi sowie Martin – nicht Kevin – und ich) uns wieder – von zwei Seiten kommend, wie bei unserem ersten Treffen. Alles passt geradeso in unsere beiden SUV's, aber, es ist so eng, dass Martin, der bei Helga mitfährt, die ganze Fahrt über Willi auf dem Schoß hat. Nicht einmal im Fußraum ist noch Platz! Dieter, der mit seinem eigenen Auto gekommen ist, fährt wieder nach Hause. Meine nächste Arbeit daheim in Neudorf wird es sein die Küche wieder zusammenzubauen.

Willi ist inzwischen etwas ruhiger geworden. Er darf schon frei im Garten herumtollen, aber nur unter Aufsicht. Helgas Grundstück liegt am Ortsrand, dahinter ist freies Feld. Durch eine defekte Gartentür in der Ligusterhecke hat sie die Möglichkeit, wenn es zeitlich eng wird, hier mit den Hunden eine kurze Runde zu drehen. Sie nennt es die Karnickelrunde, da hier des Öfteren Kaninchen – vielleicht auch immer das gleiche – unterwegs sind.
Viel lieber aber macht sie mit Cäsar und Willi einen längeren Spaziergang entlang eines einige Kilometer entfernten Waldes. Ich begleite sie gerne dabei. Es sind noch recht gemütliche Spaziergänge.

Jetzt, Ende September, ist diese Gartentür dran. Im Baumarkt haben wir ein stabiles Gartentor, mit Rahmen, aus Metall geholt. Ich hebe ein Loch für das Fundament aus, dann betonieren wir den Rahmen ein, am nächsten Tag hängen wir das Tor ein. Fertig! Wunderschön und abschließbar. Als ergänzende Arbeit befestigen wir Tage später an diesem Tor noch einen Sichtschutz.

An der Holzhütte sind einige Bretter lose, müssen angeschraubt werden. Bei dieser Gelegenheit wird sie gleich noch gestrichen und ringsum untermauert. Willi hatte sich schon einige Male unter die Hütte gezwängt, um irgendwelches Getier zu suchen, kam jedes Mal schmutzig wie ein Nestei hervor. Das muss unterbunden werden.

Trotz der mittlerweile doch recht vielen Arbeit ist es eine unbeschwerte, glückliche Zeit.

Es ist Oktober. Helga erhält erneut eine Hiobsbotschaft. Ein Jahr nach ihrer ersten OP muss sie nochmals operiert werden.

Im Laufe der Monate haben sich in Helgas Haushalt einige Veränderungen ergeben. Dank meiner Vorschläge. So wird beispielsweise Mineralwasser nicht mehr in Plastik- sondern in Glasflaschen gekauft, das Dressing wird nicht mehr am Tisch über den Salat gegeben, er wird jetzt in der Schüssel angemacht und dann verteilt. Kleinigkeiten! Nun steht etwas Größeres an.

Wohn- und Essbereich sind die zentrale Einheit in Helgas Wohnung, und im Gegensatz zum engen Essbereich ist der Wohnbereich einfach riesig. Ausgefüllt wird er von einem imposanten, absolut ungemütlichen Ledersofa und zwei Sesseln, die ihre besten Jahre schon in den Siebzigern hatten, und von Helgas Ex, Heinrich, mit in die Ehe gebracht worden waren. Ebenso eine wuchtige nussbaumfarbene Schrankwand. Das Fernsehgerät muss jedes Mal näher herangezogen werden, damit man vom Sofa aus etwas erkennen kann. Mir war plötzlich die Idee gekommen, den Esstisch und die Vitrine in den Wohnraum, dieses Monster von Ledergarnitur zu entsorgen, und stattdessen ein Ecksofa in den bisherigen Essbereich zu stellen.

Helga ist begeistert, findet es eine Superidee, wundert sich, warum sie nicht selbst daraufgekommen ist. Ich hätte Innenarchitekt werden sollen, meint sie, und, dieses grässliche Sofa war ihr eh schon immer zuwider. Nach ausgiebigem Probesitzen in einem Möbelhaus haben wir endlich „unser" Sofa gefunden. Helga bestellt es übers Internet, wo es um einiges billiger ist. Nach der Lieferung räumen wir alles um, ich hänge noch die Lampen mittig über beide Tische. Endlich hat auch der sechste Stuhl wieder Platz, und die stilvolle Essgarnitur mit dieser edlen Vitrine kommen so richtig zur Geltung.

Wieder geht ein Jahr zu Ende. Heiligabend wollen wir dieses Jahr bei uns in Neudorf, mit meinen beiden Jungs, feiern. Dieter hat eigene Pläne. Helga kommt schon am Vormittag

gefahren, wir sind am frühen Nachmittag bei meiner Patentante und meinem Onkel zum Kaffee eingeladen. Meine Pa-
tin ist eine ausgezeichnete Bäckerin (und Köchin) und ihr
Weihnachtsgebäck ist einfach ein Gedicht. Als wir uns wieder verabschieden, nimmt sie mich zur Seite, „komm mal
schnell mit, ich habe noch was für euch." Sie hat eine riesige
Schüssel voll mit Weihnachtsplätzchen für uns bereitgestellt,
meint, „das hätte ich dir gar nicht zugetraut." Sie scheint mit
Helga einverstanden zu sein!

Als Hauptgang an Heiligabend serviere ich dieses Jahr
Roastbeef, nach dem Essen und der Bescherung machen
wir uns schon wieder auf den Heimweg. Die Autobahn ist
„menschen"-leer, in Rekordzeit legen wir die Strecke zurück.

Die nächsten Tage erholen wir uns von dem doch recht er-
eignisreichen Jahr, bis es an Silvester wieder etwas unruhi-
ger wird. Wir feiern dieses Jahr bei Helga, in der gleichen
Besetzung wie letztes Jahr. Für Bernhard und Ute hat sie
das Gästezimmer hergerichtet, Fritz und Inge übernachten
in ihrem Wohnmobil. Natürlich wird es auch dieses Jahr, bei
Lachs mit Nudeln, Hirschgulasch und weiteren Leckereien,
die unsere Freunde mitgebracht haben und reichlich Getränken, eine feucht-fröhliche Party. Nach einem reichhaltigen
Frühstück treten wir am nächsten Tag die Heimreise an. Ich
fahre bei Bernhard und Ute mit, bedauere aber schon bald,
an diesem Tag nicht noch wenigstens bis zum Abend bei
Helga geblieben zu sein.

Auch in der Küche hat es Veränderungen gegeben. Zu Beginn unserer Beziehung hatte hauptsächlich Helga gekocht. Ich erinnere mich noch gut an das erste Gericht: Schweinebraten. Was sie hervorragend zubereitet sind Frikadellen. Ich habe nie bessere gegessen. Ihr Wurst- und Kartoffelsalat sind ebenfalls ausgezeichnet. Aber, sie kocht ungern. Nach ihrer Auffassung gehört die Küche zugemauert. Und so bringt sie es fertig, peu à peu, ganz uneigennützig, mir die alleinige Leitung der Küche zu überlassen. Das kulinarische Angebot reicht dabei von Spaghetti Bolognese, Spaghetti-Zucchini, über Fleisch in allen Varianten, Thailändisch, bis hin zu einem wunderbaren Eintopf mit Rindfleisch, den wir im Winter sehr gerne essen. Grünkernküchlein und Grünkohl bereite ich nur einmal zu, Helga mag beides nicht, Gans gibt es zweimal. (Das erste Mal essen wir eine an Heiligabend. Meine Enttäuschung - und bestimmt nicht nur meine - ist groß, ist mir nicht gelungen. Wochen später sehe ich bei uns zuhause im Supermarkt nochmals Gans, deutlich reduziert. Ich nehme sie mit zu Helga, und dieses Mal wird sie perfekt – nach einem anderen Rezept). Für den Salat bleibt Helga zuständig, so ganz allein lässt sie mich dann doch nicht. Sie isst sehr gerne Salat, es gibt ihn beinahe zu jedem Essen. Immer, nachdem ich das erste Geschirr schon gespült und alles nicht mehr Benötigte weggeräumt habe, bereitet sie ihn zu. In den Salat schneidet sie Tomaten, Gurken, Paprika und Kräuter. Alle, außer Liebstöckel. Das hasst sie. Ich liebe es. In meinen Salat kommt es. Zum Essen trinken wir gerne mal ein Glas Wein, sie ihren süßen „Rutzelfutzel", wie ich ihn nenne, ich lieber einen anderen. Danach ab und zu mal einen Schnaps: Helga einen Williams oder einen Ouzo, ich einen Schlehengeist. Und manchmal bekomme ich fürs Kochen sogar ein Lob! Wir essen nur noch an den Wochenenden Fleisch, unter der Woche verzichten wir weitestgehend darauf. Ich bin fest davon überzeugt, dass ich nur aufgrund dieser Ernährungsumstellung keine Knieschmerzen mehr habe. Irgendwann besorgt Helga eine Heißluftfritteuse. Ideal für das Zubereiten von Lachs, den wir beide so mögen, und Pommes, die zeitgleich fertig werden. Natürlich gehen wir auch ab und zu mal essen. Ich bin immer wieder erstaunt, wie viele hervorragende Lokale es in ihrer Gemeinde und auch den kleinen umliegenden Ortschaften gibt. Und alle sind immer sehr gut besucht. Ohne Reservierung geht fast gar nichts. Dabei haben sich im Laufe der Zeit unsere drei Favoriten herauskristallisiert: das Gasthaus „Zur Grünen Rebe", der Gasthof „Zum Schwarzen Rappen" und ein ausgezeichneter Italiener mit einem ganz wunderbaren Tiramisu!

Auch „kulturell" sind wir diesen Winter zwei-, dreimal unterwegs. Helga hat einen guten Bekannten, der nebenher in Gaststätten Unterhaltungsmusik macht. Für Stimmung ist da jedes Mal gesorgt.

Über die Faschingszeit geht es mir nicht so gut. Nebenhöhlenentzündung, Kopfschmerzen, Bronchitis, das volle Programm. Keinen, wie Helga immer so gern sagt „Männerschnupfen". Sie deckt mich mit Medikamenten und Rotlicht ein.

Als wir an diesem Abend im Bett liegen, rückt sie zu mir rüber, schmiegt sich an mich ... „Hoffentlich", fängt sie an, „wird das bald wieder besser." Ach, denke ich, sie ist doch eine gute Seele, so fürsorglich, bin gerührt von ihrem Mitgefühl. „Hoffentlich", fährt sie fort, „geht es ihm morgen wieder gut!" Gemeint ist Cäsar, ihr Afghane, der den ganzen Tag Durchfall hatte!!

Es wird Frühjahr, wir widmen uns die meiste Zeit dem Garten, der es bitternötig hat. Überall wächst Unkraut. Auch der Rasen ist voll mit Klee und sonstigen Unkräutern, so, als würden wir täglich düngen und wässern. Das Vertikutieren alleine reicht nicht, da hilft nur Chemie. Bei dieser Gelegenheit lege ich noch Natursteinplatten, rund um den Gullydeckel von Helgas Zisterne und die danebenliegende Vertiefung, in der im Sommer die Gartenpumpe steht, in Mörtel, in gleicher Höhe wie der angrenzende Rasen. Erleichtert das Mähen ungemein. Nachdem wir den Garten soweit im Griff haben, ist es mal wieder Zeit im Haus weiterzumachen. Helga stört schon lange die alte Duschkabine im Bad, die so schwer zu reinigen ist. Sie bestellt eine aus Ganzglas, natürlich wieder übers Internet. Es ist Pfingsten. Ich will nicht so recht an die Sache ran, das Seitenteil, das zwischen Dusche und Badewanne aufgesetzt werden muss, bereitet mir Kopfschmerzen. Aber es klappt. Dieter ist im richtigen Moment zur Stelle, hilft mit, die schweren Teile zu halten. Danach bringe ich überall neues Silikon an. Klasse! Diese Arbeit kann sich sehen lassen.

Anfang Sommer ist die Hausfront dran: Mit dem Hochdruck-reiniger entferne ich den Grünspan, streiche zweimal. Fertig. Ist gut geworden. Ich erhalte sogar ein Lob, von Helgas Mutter.

Es regnet dieses Jahr sehr viel. Und heftig. Bei so einem Starkregen dringt auch Wasser in Helgas Keller ein. Einige Zentimeter hoch. Mit dem Nasssauger und anschließendem ständigen Lüften gelingt es ihr und Dieter, alles wieder zu trocknen. Nur der Bodenbelag in der Einliegerwohnung muss entfernt werden, aber das wäre er ohnehin.

Das Ganze geschieht unter der Woche, Helga hält mich täglich auf dem Laufenden.

Im Juni heiraten Bernhard und Ute. Ich bin Trauzeuge. Helga erklärt sich bereit ihr Cabrio als Hochzeitswagen geschmückt zur Verfügung zu stellen. Dafür besorgt sie unter anderem eine wunderschöne Girlande mit roten Rosen.

Eine Arbeit nehmen wir uns noch vor: Wir spannen einen niedrigen Zaun zusätzlich zur begrenzenden Hecke. Willi war es im letzten Herbst doch einige Male gelungen auszubüxen. Die heruntergefallenen, gärenden Äpfel auf dem Nachbargrundstück waren zu verlockend gewesen. Leider bekamen ihm die Leckerbissen nicht, dem Teppich im Wohnzimmer auch nicht. Das wollen wir dieses Jahr unbedingt verhindern!

Wir sind jetzt schon beinahe zwei Jahre ein Paar. Über unsere Geburtstage habe ich Urlaub genommen. Helgas Geburtstag steht unter keinem guten Stern. Cäsar kann an diesem Morgen kaum aufstehen, hat Schmerzen. Helga hatte ihn vor vielen Jahren über einen Verein erhalten, der Hunde, die in Spanien ausgesetzt wurden, vermittelte. Er hatte ihr schon über viele schwere Stunden hinweggeholfen, und sie sich fest vorgenommen, Cäsar solle nie mehr leiden müssen. Dieses Versprechen löst sie heute ein. Sie lässt ihn einschläfern. Dieter trägt ihn ins Auto, als sie zurückkommen, laufen Helga Tränen übers Gesicht. Ich nehme sie in den Arm. Cäsars Tod hat sie schwer getroffen.

Endlich beginnt meine Reha. Mein Hausarzt hatte mir im Frühjahr geraten, eine Kur wegen Erschöpfung zu beantragen. Nach anfänglichem Zögern willigte ich ein. Meine Müdigkeit und Abgeschlagenheit hatte ich auf die vielen Jahre als alleinerziehender Vater zurückgeführt, die beiden Ehrenämter in Verein und Verband und das ganze Drumherum - neben Beruf - wie Haushalt, Garten, Reparaturen. So etwas konnte doch nicht spurlos an einem vorübergehen. Mit dem, inzwischen doch schon vielen, Arbeiten bei Helga bringe ich es nicht in Zusammenhang.
Nun bin ich also fünf Wochen im Allgäu. Es ist eine wunderschöne Gegend. Wenn ich auf dem Balkon sitze, sehe ich in der Ferne Schloss Neuschwanstein. Die erste Woche ist ungewohnt. Es dauert, bis ich mich an den täglichen Ablauf gewöhnt habe. Am ersten Wochenende muss ich noch in der

Klinik bleiben. Helga besucht mich. Ich zeige ihr zunächst die ganze Anlage, dann mein Zimmer. Wir haben unseren Spaß zusammen und lassen den Tag ganz relaxt an einem der vielen kleinen Seen in der Nähe ausklingen.

Die nächsten Wochenenden werde ich wieder zu ihr fahren, wie jedes Wochenende. Nur mit dem Auto statt der Bahn und aus anderer Richtung kommend. Die drei folgenden Wochen kann ich entspannen; ruhe mich viel aus, gehe auch mal wandern. Einmal besuche ich eine kleine Kirche, die mir beim Vorbeifahren aufgefallen war. Es ist das erste Mal seit langer Zeit, dass ich mal wieder in eine Kirche gehe. In der fünften Woche bin ich froh, dass ich bald nach Hause darf. In all der Zeit haben wir schönstes Wetter, erst an meinem Abreisetag kippt es – Schneeregen! Ich bedaure die Anderen, die gerade von der Frühgymnastik (im Freien!) kommen.

Gut erholt und voller Tatendrang komme ich aus der Reha zurück.

Wir entschließen uns, hinter dem Haus ein kleines Stück Rasen umzugraben und hier einen Nutzgarten anzulegen. Noch im Herbst pflanzen wir die ersten Kräuter und Wintersalat. In den nächsten Jahren wird uns dieser Garten ständig mit Tomaten, Gurken, Zucchini, weiterem Gemüse und Salat in allen Variationen versorgen.

Zu dem Gärtlein führt ein Weg mit Waschbetonplatten, die an die Böschung grenzen. Bei Starkregen, wie er dieses Jahr oft vorkommt, ist Helga ständig damit beschäftigt, das sich darauf sammelnde Wasser wegzukehren, dass es nicht die Böschung hinunterfließt und womöglich Feuchtigkeitsschäden an der Außenwand der Einliegerwohnung verursacht. Mir kommt die Idee, einen Hofablauf zu setzen. Dazu grabe ich drei Meter auf, und verbinde ihn über KG-Abwasserrohre, die ich neu verlege, mit dem bereits für die Dachrinne vorhandenen Abwasserrohr, das direkt in die Zisterne führt. Zuschütten, festtreten, Platten wieder verlegen, Hofablauf in Mörtel legen, fertig. Hier wird Helga nie wieder kehren müssen! Ich bin begeistert, finde diese Lösung einfach genial!

Größere Projekte werden dieses Jahr nicht mehr durchgeführt. Nur noch einige Kleinigkeiten, wie einen Stuhl und eine Schublade leimen und ein paar kleine Löcher in der Fassade beim Esszimmer ausbessern, die Vögel im Sommer aufgepickt hatten. An einer potthässlichen Außenlampe entferne ich die gusseiserne Verzierung und plötzlich erstrahlt sie in neuem Glanz und ist ein wahrer Blickfang. Und das Wichtigste: In die Küche kommt eine neue, helle Lampe. Die vorhandene Tiffanylampe hängen wir über den Küchentisch – Helga mag sie sehr. Dann tausche ich noch den Lichtschalter gegen einen Doppelschalter aus, damit man beide unabhängig voneinander an- und ausknipsen kann. Und wir bekommen eine neue Spülmaschine. Nach dem Auspacken stellen wir fest, dass diese beschädigt ist, also wieder zurück damit, umtauschen. Die neue schließen wir an, Dieter hilft. Ich schneide mit der Stichsäge noch die Bodenblende weiter aus, damit die Tür sich vollständig öffnen lässt. Oft benutzen werden wir dieses Teil – die Spülmaschine – nicht.

An Heiligabend sind wir dieses Jahr bei Helga. Nachdem ich mit meinen Jungs zuhause „vorgefeiert" habe, reise ich wieder mit der Bahn, diesmal ohne Platzreservierung. Auch Dieter feiert mit, es gibt diese Gans, die mir, wie bereits erwähnt, nicht so „ganz" gelingt. Am ersten Weihnachtsfeiertag besuchen uns meine Söhne Martin, mit seiner damaligen Freundin Greta, und Kevin. Ich finde es schön, endlich mal alle Familienmitglieder zusammen zu haben. Den Abend verbringen wir in einer urigen Kneipe in Loden und am nächsten Tag gehen wir mit Helgas Mutter in den Schwarzen Rappen zum Mittagessen. „Meine" Drei fahren nachmittags zurück, Helga und ich machen uns Silvester auf die Reise. Wir feiern dieses Jahr bei Bernhard und Ute, wieder zusammen mit Fritz und Inge. Eine sehr schöne Party, wenn auch um einiges „feuchter" als die beiden Feten davor.

Planen, vergleichen, realisieren

Bei Helga ergibt sich eine einschneidende berufliche Veränderung.

Ihre beste Freundin Elke arbeitet schon seit vielen Jahren in einem Konstruktionsbüro, ist dort für sämtliche Büroarbeiten zuständig. Ihr Chef möchte diese kleine Firma aus Altersgründen abgeben, sucht einen Nachfolger. Nach eingehender rechtlicher und steuerrechtlicher Beratung wagt Helga den Schritt in die Selbständigkeit.

In ihrem bisherigen Geschäft hat sie durch Überstunden und nicht genommenen Urlaub so viel Freizeit angesammelt, dass ihr Arbeitgeber, bei Freistellung, bis zum Kündigungstermin noch Monate das Gehalt weiterzahlen muss. Während dieser Zeit macht sie sich in der neuen Firma schon mit den Mitarbeitern, den Kunden und den Betriebsabläufen vertraut, fährt jeden Tag nach Loden.

Parallel dazu beginnt die lange Zeit des Planens. Zunächst mit der Erstellung der Homepage und eines Firmenlogos. Unzählige Stunden sind wir damit beschäftigt uns Anregungen von anderen Websites zu holen. Immer wieder haben wir neue Ideen, was alles auf die Homepage gehört. Auch das Firmenlogo benötigt eine Menge Aufmerksamkeit und Kreativität. Dieses Arbeiten mit Helga macht mir riesig Spaß.

Schließlich ist es geschafft. Es ist ein tolles Gefühl, und ein wenig sind wir stolz auf unser gemeinsames Ergebnis.

Nun freuen wir uns auf den bevorstehenden Maifeiertag, beschließen, eine kleine Fahrradtour zu unternehmen. Fehlt nur noch ein Detail: Ich habe kein Fahrrad. Aber, Helga hat schon im Internet recherchiert und ist in einem Baumarkt fündig geworden, mailt mir das Angebot zu. Am 30.4. kaufen wir ein wunderschönes Trekkingrad, um 80.-- auf 200.-- Euro reduziert. Ein echtes Schnäppchen. Und so starten wir am Ersten Mai unsere erste gemeinsame Radtour bei strahlendem Sonnenschein. Helga hat dafür das Rad ihrer Mutter ausgeliehen, sie hält es für besser als ihr altes Vehikel. Ein Trugschluss. Gerade als wir aus dem Ort sind, gibt die Gangschaltung von Helgas Fahrrad ihren Geist auf. Es lässt sich nurmehr äußerst beschwerlich treten, wie ein E-Bike ohne Akku. Klar, dass wir die Räder tauschen. Es ist eine Plage. Und so fällt die Radtour etwas kürzer aus als ursprünglich geplant. In der Grünen Rebe essen wir gemütlich im schattigen Biergarten und treten anschließend wieder die Heimreise an. Im Spätsommer werden wir noch einmal mit den Rädern unterwegs sein und zu einer Eisdiele fahren.

In diesem Frühjahr lerne ich auch Dimitrios kennen. Er lebt schon seit Jahren mit seiner Lebensgefährtin in Kanada, kommt aber regelmäßig nach Deutschland. Der Kontakt zwischen ihm und Helga ist nie abgebrochen. Er lädt uns nach Loden zum Essen ein. Dimitrios ist ein freundlicher, stiller, eher unscheinbar wirkender älterer Herr, hinter dem niemand Reichtum vermuten würde.

Inzwischen hat Helga die Firma übernommen. Ab sofort hat sie die Verantwortung für einen kleinen Betrieb mit vier Angestellten.

Die Geschäfte laufen reibungslos weiter. Wir räumen das Büro gewaltig um. Einen Lagerraum räumen wir leer, wollen ihn als eine Art Teeküche, in der auch mal gegessen werden kann, für die Mitarbeiter nutzen. Für die Gerätschaften, Unterlagen und alles andere haben wir bei Helga einen Kellerraum, in dem zuvor Gartengeräte und auch Brennholz gelagert waren, freigemacht.

Es gibt mal wieder Wasserprobleme. Nach dem Duschen im DG tropft es im EG von der Decke. Da hilft nur eins: Ich entferne das alte poröse Silikon und bringe neues an. Und in der Küche ist die Spültischarmatur undicht. Helga hat bereits eine neue besorgt. Sonntag morgens fragt sie mich, ob ich sie noch schnell austauschen könne. Kann ich, aber dafür muss sie sich den Satz anhören: „Du hast noch fünf Minuten bevor Du mich zum Bahnhof fährst eine Aufgabe für mich!"

Unser Nutzgarten macht uns Freude: Bis in den Spätherbst ernten wir Tomaten, Gurken, Zucchini. Salat sowieso schon das ganze Jahr über, was Helga ganz besonders freut. Nachdem alles abgeerntet ist, die dürren Pflanzen entfernt sind, mulche ich den gesamten Nutzgarten, um eine Boden-verbesserung für das nächste Jahr zu erreichen.

Mich plagen in letzter Zeit leichte Rückenschmerzen, gleich morgens nach dem Aufstehen. Unsere Latexmatratze liegt auf festen Metallstreben, die nicht nachgeben; vielleicht der Grund dafür. Wir kaufen zwei Lattenroste, die wir dazwischen legen, ab da wird es besser. Helgas Rückenschmerzen verschwinden komplett. Erst jetzt gibt sie zu auch welche gehabt zu haben.

Heiligabend verbringen wir dieses Jahr wieder bei Helga. Ich bitte sie ihre Mutter einzuladen. Sie soll nicht alleine zuhause sitzen. Helga ist damit einverstanden. Es gibt Kartoffelsalat und Steaks, Dieter grillt.
Silvester feiern wir erstmals nicht mit unseren/meinen Freunden. Helga hat bemängelt, dass wir drei letztes Jahr so betrunken waren. Das möchte sie nicht noch einmal erleben. Wir reservieren einen Tisch in der Grünen Rebe. Es ist unser viertes gemeinsames Silvester. Wir sind überwältigt von dem kulinarischen Angebot, das uns erwartet: Ein Fünf-Gänge-Menü wie man es für dieses einfache Dorfgasthaus nicht für möglich gehalten hätte. Grandios! Bei uns am Tisch sitzt ein Ehepaar, mit dem wir uns angeregt unterhalten. Es ist ein rundum angenehmer Abend, um 23:30 Uhr verlassen wir das Lokal, wir sind die beiden letzten Paare, stoßen zuhause – Helga und ich – auf das neue Jahr an. Ein wunderbares Gefühl, an Neujahr ohne Brummschädel aufzuwachen!

Helga hat sich inzwischen dazu entschieden das Konstruktionsbüro nach Ablauf des Mietvertrags in eineinhalb Jahren in die Einliegerwohnung zu verlegen. Noch im Winter beginnen wir mit den notwendigen Vorbereitungsarbeiten. Das Entfernen der alten Tapeten erweist sich als äußerst zeitaufwendig. Ich habe schon oft tapeziert und entsprechend viele Tapeten entfernt, aber sowas habe ich noch nicht erlebt. Ich frage mich, was für einen Kleber die beim Tapezieren benutzt haben. Da hilft kein Spüli, kein Tapetenlöser, es ist egal, ob man das Mittel kurz oder lang einwirken lässt. Bis ins Frühjahr sind wir immer wieder an Wochenenden damit beschäftigt. Und den Speicherraum räumen wir leer, bringen viele Sachen in Frau Schmitts Speicher, ein Teil wird entsorgt. Zwischendurch helfe ich im Geschäft aus, es ist viel zu tun.

Der Frühling ist da und es beginnt die schöne Zeit der Gartenarbeit. Aber nicht genug damit. Seit Herbst waren wir auf der Suche nach einem Gartenhäuschen. Es fehlte an Stauraum für die im Keller ausgelagerten Gartengeräte und -maschinen. So kamen wir auf die Idee mit dem Gartenhäuschen. Wir haben auch schon eins gefunden: ein Ausstellungsstück in einem Baumarkt, bereits reduziert. Aber, Helga ist es noch zu teuer, glaubt, es werde nochmals günstiger. Und sie sollte recht behalten. Es ist so weit ... als es das dritte Mal reduziert wird, schlägt Helga zu. Samstag nachmittags beginnen wir mit dem Abbau. Es ist ein langwieriges Unterfangen für zwei Leute. Zu allem Übel gibt der

Akkuschrauber seinen Geist auf. Helga besorgt einen neuen und bittet zusätzlich Dieter, uns zu helfen. Er kommt, mit einem Freund. Zu viert geht es doch um einiges zügiger. Mit SUV und Anhänger müssen wir zweimal fahren, bis wir alles zu Helga transportiert haben. Dort wird es zunächst einmal zwischengelagert, bis wir einen geeigneten Platz für den Wiederaufbau gefunden haben.

Eine Ecke des Gartens bietet sich an, dort wird es sich bestimmt gut machen. Ich steche die Grasnabe ab, hebe ca. zehn Zentimeter Erde aus. Es ist keine schöne Arbeit, der Lehmboden ist knochentrocken. Die anfallende Erde verteilt Helga unter der Ligusterhecke. Ich betoniere Balkenschuhe ein, auf die ich die Kanthölzer für die Unterkonstruktion schraube. Am folgenden Wochenende holt Dieter einen Anhänger voll Kies, den ich in der Grube verteile, anschließend bauen Helga und ich das Gartenhäuschen wieder auf. Es ist ein wahres Schmuckstück, vor allem, nachdem wir es frisch gestrichen haben. Ich versehe es mit einem neuen Türschloss und einer neuen Drückergarnitur, lege ringsum Waschbetonplatten, die wir freitags, als Helga mich vom Bahnhof abholte, mit dem Anhänger, vom Baumarkt mitgebracht haben, stelle auf die eine Seite ein Regenfass, an der anderen befestige ich Halterungen für die ständig benötigten Gartengeräte, wie Rechen und Spaten. Jetzt geht die Gartengestaltung weiter. Wir entschließen uns dazu, entlang der Ligusterhecke Obstbäume, Beerensträucher und winterharte Stauden zu pflanzen. Bevor wir all die Pflanzen in unzähligen Baumschulen und Gärtnereien kaufen, holt Helga etliche Anhänger voll Rindenmulch, den wir in dem vorgesehenen Terrain auf dem Rasen dick verteilen, um so ein weiteres Rasenwachstum zu verhindern. Diese Neugestaltung des Gartens ist eine wundervolle Aufgabe die mir, die uns beiden, sehr viel Spaß bereitet.

Apropos „Frühling" und „Spaß bereiten": Seitdem wir unseren anfänglichen sexuellen Nachholbedarf mehr als aufgeholt haben, konzentriert sich unser Sexualleben hauptsächlich auf den Samstagmorgen. Aber, flexibel wie wir sind, natürlich nicht nur. Heute ist wieder Samstag, und heute möchte ich Helga endlich fragen. Ich habe es schon des Öfteren versucht, mich dann doch nie getraut. Aber, wieso eigentlich nicht, was habe ich zu verlieren? .... Jaaaaaahh!! .... An diesem Samstag kreieren wir ein neues Wort, dessen Bedeutung nur Helga und ich kennen: Weistern!

Nach den ausgiebigen Gartenarbeiten geht es wieder im Keller weiter, in der Einliegerwohnung. An einer Innenwand klafft ein gut ein Zentimeter breiter senkrechter Riss, der immer wieder gekommen ist. Von zuhause habe ich engmaschigen verzinkten Volierendraht mitgebracht, den ich mit Spachtelmasse in den Riss und zusätzlich als Brücke über den Riss einarbeite. Das sollte halten! Und ein weiteres Problem tut sich auf: Eine Außenwand hat eine feuchte Stelle. Helga vermutet, dass die Feuchtigkeit durch defekte Außenisolierung entstanden ist. Ich grabe auf, aber alles ist trocken. Also muss es eine innenliegende Ursache geben.

Vorsichtig klopfe ich den Innenputz auf, immer mehr, stoße auf feuchte Glaswolle und dahinter lege ich ein 50-er HT-Rohr frei, das Abwasserrohr der Küchenspüle. Jetzt ist alles klar: Die HT-Rohre haben sich verschoben, überlappen sich an einer Stelle nicht mehr. Hier kam es zu Wasseraustritt, und so kam es auch hin und wieder zu modrigen Gerüchen in der Küche, für die man nie eine Erklärung fand. Im Baumarkt holen wir eine 50-er Überschiebemuffe die ich über das Abwasserrohr schiebe, nachdem ich die Muffe des alten Rohrs abgesägt habe, bringe die wieder getrocknete Glaswolle ein und verputze das Ganze. Fertig. Helga hat sich derweil vorgenommen, die Holzdecke weiß zu streichen. Mit Wandfarbe. Ich rate ihr davon ab, mehrmals. Vergeblich. Es ist kaum möglich, sie von etwas, das sie sich in den Kopf gesetzt hat, abzubringen. Und so kommt es, dass sie an Ostern die Decke der Einliegerwohnung streicht, während ich im Garten u.a. vorgekeimte Saatkartoffeln stecke. Helgas Arbeit war für die Katz'; Wochen später reißen wir sie runter, sägen die Bretter auf eine handliche Länge und entsorgen sie als Sondermüll.

Helgas Mutter kommt immer mal auf einen Sprung vorbei. Ihr gefallen die Veränderungen. Einmal erhalte ich sogar ein dickes Lob von ihr, sie meint, ich sei für Helga wie ein Sechser im Lotto. Das tut gut! Von Helga würde ich auch mal gerne so etwas hören, und wenn es dann nur ein Vierer mit Superzahl wäre ... Aber stattdessen erfahre ich nur, dass bei ihrer Mutter einige Kleinigkeiten erledigt werden müssten.

Einmal mache ich ein Schloss ihres Schlafzimmerschranks wieder gangbar, bringe von zuhause einen passenden Schlüssel mit, tausche ein Türschloss aus und repariere einen tropfenden Wasserhahn, ein anderes Mal, Frau Schmitt ist für ein paar Tage in Urlaub, legen und verkleben wir in ihrer Waschküche um einen neu eingebauten Kellerablauf einen PVC. Ab dieser Zeit haben wir einen sehr guten Draht zueinander. Ich mag Frau Schmitt, und ich glaube, sie mich auch. Als Helga einmal einen längeren Außentermin wahrnehmen muss, lädt sie mich zum Essen ein. Es gibt Kartoffelbrei, Rotkraut und Schnitzel, eines meiner Leibgerichte. Frau Schmitt ist eine hervorragende Köchin und wie immer sehr redefreudig. Im Gegensatz zu Helga spricht sie über persönliches, erzählt mir viel aus Helgas Kindheit und von ihrer schwierigen Zeit als Teenager, als sie von zuhause auszog und bei den Großeltern unterkam. Sie berichtet mir vor allem von zwei sehr persönlichen Ereignissen, die sie noch sichtlich berühren. Ich habe Helga nie darauf angesprochen.

Über unsere Geburtstage habe ich dieses Jahr wieder Urlaub. Wir sitzen beide Male im Garten, Frau Schmitt bringt zu jeder Feier einen ausgezeichneten Kuchen mit. Helga und ich sind diesen Sommer vier Jahre ein Paar.

In dieser Zeit bekommen wir auch Besuch von Dimitrios und seiner Lebensgefährtin. Helga hat sie zum Grillen eingeladen. Es ist das erste Mal seit Silvester, dass wir Gäste haben.

Die Partnerin von Dimitrios ist eine äußerst attraktive kanadische Geschäftsfrau, die sehr gut deutsch spricht und geschätzte zwanzig Jahre jünger als er. Ein Jahr später sollten sie sich trennen. Das Grillen übernimmt Dieter.

Er hat eine neue Freundin, Anna.

Mit Dieter und Anna besuchen wir einige Zeit später ein Weinfest in einem der umliegenden Orte. Beim Bezahlen des Eintrittsgelds erhält jeder Besucher ein Glas, Wein gibt es nur flaschenweise zu kaufen. Wir finden ein schönes Plätzchen, etwas abseits der lauten Band. Plötzlich fängt es an zu regnen. Immer stärker. Aber, ich staune nicht schlecht, die Veranstalter sind vorbereitet. Sie geben Planen aus, die die Besucher immer tischweise über sich ausbreiten können. Das ist sicherlich nicht das erste Mal, dass diese Veranstaltung sozusagen ins Wasser gefallen ist. Leicht angeheitert machen wir uns auf den Heimweg, trinken bei uns im Esszimmer noch einen Absacker. Irgendwie sitzt mir heute der Schalk im Nacken ... Nachdem Dieter und Anna gegangen sind, und auch wir uns Richtung Bett aufmachen, sage ich zu Helga, mit schon etwas schwerer Zunge, ich müsse nochmals zur Toilette, hätte aber Sorge, nicht mehr alleine zurechtzukommen. Kurzentschlossen, ohne ein Wort zu verlieren, bugsiert sie mich resolut vor sich her ins Bad, stellt mich vors WC (nein, ich bin kein Sitzpinkler!), öffnet zuerst Klodeckel und -brille, dann meine Hose und lässt mich, wie man so schön sagt, „meine Notdurft verrichten". Wow, denke ich, genau wie in dem Film, von dem mir leider gerade der Titel nicht einfällt. Als wir danach im Bett liegen, beuge ich mich wie jeden Abend beim Gutenachtsagen zu ihr rüber, sie dreht sich zu mir, und fragt wie jeden Abend, wenn das Licht schon aus ist, „Wo bist'n du?" Dann geben wir uns einen Kuss, und anschließend nehmen wir uns bei der Hand, wie jeden Abend, und wie damals, als sich unsere Hände zum ersten Mal berührten, als wir in Loden Richtung Altstadt gingen, ist es immer noch ein unbeschreiblich schönes Gefühl.

Jetzt, im Spätsommer, beginnt die faszinierende Zeit der Planung für das neue Büro.

Ständig, jedes Wochenende, sind wir unterwegs, schauen uns Ausstellungen an, fahren zu Herstellern, Baumärkten. Und egal worum es dabei geht, um neue Fenster, eine Haustür, Innentüren, Fliesen, die Bürobeleuchtung, eine Videosprechanlage oder sonstiges, Helga ist immer hervorragend vorbereitet. Sie überlässt nichts dem Zufall, plant alles penibel. Sie weiß genau was sie will, lässt sich von keinem ein X für ein U vormachen. Das ist grandios. Ich stehe nur beratend zur Seite. Sie holt Angebote ein, verhandelt, fragt nach bei Unklarheiten. Unter der Woche hält sie mich ständig per E-Mails auf dem Laufenden. Es vergeht kein Tag, an dem sie mir nicht wenigstens eine schickt. Immer mit der Überschrift „was meinst du?" oder „schau mal?" Es ist enorm, wie sie das alles, neben der vielen Arbeit im Büro, noch hinbekommt.

Parallel dazu gehen die Arbeiten für das neue Büro weiter. Sie entschließt sich, ihren Hobbyraum aufzulösen, und als zusätzlichen Aufenthaltsraum zu nutzen. Ich habe die Idee, diesen Raum durch eine Tür mit dem neu zu schaffenden Büroraum zu verbinden. Findet sie gut. Wir reißen den alten geklebten Teppichboden raus und schaffen einen Wanddurchbruch vom Hobbyraum zum Büro; unser kleiner Boschhammer reicht dafür nicht aus, wir mieten einen Abbruchhammer. Es fällt eine gewaltige Masse an Bauschutt an, obwohl der Durchbruch gerade mal zwei qm groß wird. Über die Öffnung betoniere ich zwei Betonstürze, nächstes Wochenende soll es mit der Entsorgung des Bauschutts weitergehen. Aber bis dahin ist diese Arbeit schon erledigt. Helga hat den gesamten Bauschutt unter der Woche eimerweise hochgetragen und einen schweren Anhänger voll im Recyclinghof entsorgt. Ich schimpfe mit ihr, sie soll doch nicht so viel und so hart arbeiten, dafür hat sie doch mich! Jetzt ist Platz, so dass ich den Durchbruch sauber beiputzen, die ehemalige Tür zum Fitnessraum ausbauen und diese Öffnung zumauern und glatt verputzen kann. In der Folgezeit trage ich auf der Flurseite noch einen passenden Reibeputz auf, verlege den Lichtschalter und setze einige Unterputzsteckdosen. Wieder ist ein Stück geschafft. Als Nächstes geht es an die Dusche. Hier müssen einige Fliesen erneuert werden. Die alten wurden vor Jahren aufgeklopft, als ein Leck in der Wasserleitung gesucht wurde. Ich entferne die kaputten, begradige den Untergrund, klebe neue Fliesen wieder ein. Keine schöne Arbeit, eine ganze Wand zu fliesen ist einfacher. Dann endlich, nachdem alles getrocknet ist, fuge ich sie mit Fugenmasse aus, den Übergang zur Duschwanne mit Silikon. Jetzt stört noch das Kellerfenster, ein altes, mit Schutzgitter versehen. Im Baumarkt haben wir ein (beinahe) passendes gefunden. Der Einbau erweist sich als relativ schwierig, da wir die innenliegenden Fliesen nicht beschädigen wollen. Helga drückt von außen, über den Kellerschacht, ich ziehe von innen. Wir müssen seitlich einen Zentimeter des Rahmens absägen, erst dann können wir es perfekt einbauen. Nachdem es ringsum mit Silikon abgedichtet ist, wird es zu einem wahren Hingucker ... zumindest für Helga und mich! Wir sind mit unserer Arbeit sehr zufrieden. Dann geht es Schlag auf Schlag. Wir entfernen die alten Holzpaneele in der geräumigen Diele der Einliegerwohnung, ich bessere den Putz im Heizraum aus, streiche ihn, bevor wir einige Gegenstände vorübergehend dort unterbringen, und schon kommt der Elektriker, verlegt Leitungen für die neu zu installierenden Lampen, der Sanitärinstallateur legt eine Wasserleitung für den Gemüsegarten und montiert im zukünftigen Aufenthaltsraum einen Heizkörper, den ich von zuhause mitgebracht habe. Die passende Halterung hat Helga im Internet bestellt. Dann bringen die Maler an allen Decken Rigipsplatten an, der Elektriker die Lampen und die Videosprechanlage. Danach werden vier einbruchhemmende Fenster eingebaut, und, nachdem ich unterhalb der alten Kellertür, wieder mit dem Abbruchhammer, einen Sockel entfernt habe, wird auch schon die neue Außentür montiert. Eine schwere Metalltür. Vom Steinmetz besorgt Helga eine Natursteinplatte aus dem gleichen Material wie die Außentreppe, die ich als sauberen Abschluss vor die Außentür einbaue. Völlig überraschend hat sich schon der Fliesenleger angekündigt. Samstagabends schickt er eine Mail, dass er die Woche darauf anfangen werde. So schnell hatten wir, hatte ich, nicht mit ihm gerechnet. Sonntagvormittags, als Helga noch schläft, gehe ich in den Keller – es ist mittlerweile November – und säge von allen Türen, die ja durch neue ersetzt werden, die Türfutter unterhalb der unteren Bänder ab, so dass diese beim Fliesen nicht stören. Als ich das Wochenende drauf wiederkomme, und sehe, wie der Fliesenleger gearbeitet hat, trifft mich schier der Schlag. In meinen Augen ist das Murks! Ich war mit den Verputzarbeiten der Maler im Aufenthaltsraum schon nicht zufrieden, aber das hier ... Mag sein, dass ich alles etwas zu penibel in Augenschein nehme, aber, wenn ich was mache, arbeite ich genau, und das Gleiche erwarte ich selbstverständlich erst recht von einem Fachmann! Ich schimpfe. Leider, und das tut mir weh, wann immer ich daran denke, kriegt das alles Helga ab, die doch gar nichts dafürkann!

Weiter geht's. Jetzt brauchen wir neue Innentüren. Beim dritten oder vierten Anbieter werden wir fündig. Wir haben einen sehr kompetenten Gesprächspartner. Ich habe die Maße für die Türzargen bereits aufgeschrieben, natürlich auch, ob es sich um eine DIN-links- oder DIN-rechts-Tür handelt. Einige der Türen wählen wir mit Glaseinsätzen. Helga befürchtet, dass diese, wegen des größeren Gewichts, mit der Zeit durchhängen, weshalb er uns empfiehlt, die vormontierten

Bandtaschen vor dem Einbau gegen verstärkte auszutauschen. Wir suchen noch passende Drückergarnituren aus und warten auf die Lieferung. Als wir den Liefertermin kennen, reiße ich rechtzeitig davor die alten Türfutter raus. Die Türen kommen wie angekündigt. Helga und ich bauen nach und nach die Türzargen zusammen, tauschen bei den Türen mit Glaseinsätzen die Bandtaschen aus und stellen, nachdem der Leim getrocknet ist, die ersten Türzargen in die entsprechenden Öffnungen. Leider hat der Fliesenleger nicht weit genug in drei der Kellerräume gefliest, wodurch man den Übergang sieht. Wohl oder übel muss ich in diesen Räumen den Putz um die Öffnung herum ein bis zwei Zentimeter abklopfen, um so die Zargen weiter Richtung Gang montieren zu können. Und dann werden sie endlich aufgestellt, ausgerichtet, verkeilt, die Türen eingehängt, ausprobiert, die Zargen jeweils mit zwei Brettern verspannt, damit sie sich nicht durch den sich ausdehnenden Montageschaum verformen. Alles wird sauber abgeklebt, nach Aushärtung des Schaums werden Keile und Bretter wieder entfernt, die Zierbekleidungen angebracht, und zum Abschluss zur Wand und zum Boden hin sauber mit Acryl ausgefugt. Jetzt müssen nur noch die Drückergarnituren montiert werden, fertig! Inzwischen geht der Winter zu Ende, es ist März. In unzähligen Fahrten haben wir begonnen das Büro in Loden leerzuräumen. Alles, was einigermaßen in SUV und Anhänger passte, ist schon im neuen Büro. Helga hat mich mit der Planung bzw. Einrichtung des Büros betraut (Zitat beim Umgestalten des Wohn-/Essbereichs: „Du hättest Innenarchitekt werden sollen"). Und so habe ich einen Plan erstellt, auf dem maßstabgetreu alle Schränke, Arbeitstische, Regale etc. eingezeichnet sind. An einem Samstag holt Dieter mit einigen Bekannten die noch fehlenden Möbel mit dem Transporter ab. Ich bin nur dafür zuständig, zu sagen, welches Teil wohin kommt. Nachdem alle Schränke wieder eingeräumt sind, ist es endlich geschafft.

Es ist ein wunderschönes Büro. Über die Außentreppe gelangt man direkt in eine relativ geräumige Diele, den Empfang, von da aus in die Dusche mit WC, eine kleine Kochküche und das große Büro mit angrenzendem Aufenthaltsraum.

Im Laufe des Frühjahrs werden dann die neue Überdachung für die Kellertreppe und das Geländer montiert und eine Natursteinabdeckung angebracht. Die Überdachung ist etwas größer, als die alte war und überdeckt auch eine neue Briefkastenanlage, dreiteilig, für das Büro, Dieter und Anna, Helga und mich, jeweils zusätzlich mit Klingel und Videosprechanlage versehen.

Natürlich war zwischenzeitlich irgendwann einmal Heiligabend, den wir bei Helga feierten. Unser fünftes Silvester verbrachten wir wieder in der Grünen Rebe. Dieses Jahr saßen wir bei einem älteren Ehepaar, die Bekannten von letztem Jahr einen Tisch weiter. Bis nach dem Essen. Dann setzten sie sich zu uns. Es wurde ein ausgesprochen fröhlicher Jahresausklang, obwohl Helga sich schon seit einigen

Tagen mit einer Erkältung rumschlug, die noch nicht auskuriert war. Zum Jahreswechsel war wieder sehr viel Arbeit im Büro und ich musste ab und zu aushelfen.

Irgendwann in dieser Zeit höre ich auf samstags zu kochen. Es ist mir einfach zu viel, bis um sechs oder länger zu arbeiten und dann noch an zwei Abenden am Wochenende in die Küche zu gehen. Von der Sportschau schaue ich mir regelmäßig nur die interessantesten Spiele im Stehen an, bin immer am Pendeln zwischen Herd und Wohnzimmer. Bis wir fertig gegessen haben, ist es oft 21 Uhr, der Samstagsfilm läuft schon. Jahre später werde ich Filme anschauen, von denen ich denke, ich kenne sie nicht, bis ich die zweite Hälfte sehe ... Ich sage jedenfalls zu Helga, zweimal am Wochenende zu kochen sei mir zu viel, entweder müsse sie es einmal übernehmen, oder wir müssten essen gehen. Von da an essen wir wöchentlich, meistens samstags, wobei fast immer sie bezahlt, im Restaurant. Dies hat den zusätzlichen positiven Effekt, dass wir endlich etwas gemeinsam unternehmen außer zu arbeiten, und sei es nur, zusammen essen zu gehen! Ab und zu schaue ich mir danach die Zusammenfassung einiger Fußballspiele im aktuellen Sportstudio an, wenn Helga schon im Bett ist.

Wir probieren viele neue Lokale aus, entdecken gute, aber auch schlechte. Der Schwarze Rappe zählt irgendwann nicht mehr zu unseren Favoriten. Die Qualität hat gewaltig nachgelassen. Der ausgezeichnete Beilagensalat ist weniger geworden, okay, aber was eklatant ist, das Schweinefilet erinnert in seiner Konsistenz an Frottierhandtücher und im Zwiebelrostbraten sind zum wiederholten Male Sehnen. Als ich das bemängle, bekommen wir als Entschädigung einen Williams. Einen! Für zwei Gäste. Schade, wir sind immer sehr gern in dieses Restaurant gegangen.

Und wir entdecken Backgammon für uns. Ein Spiel habe ich zuhause gefunden, die Spielanleitung holen wir uns aus dem Internet. Es macht uns beiden Spaß, es zu lernen, zu spielen. Anfangs. Später nur noch mir. Irgendwann hat Helga keine Lust mehr.
Ich bin ein solcher Idiot! Warum habe ich sie nicht wenigstens ab und zu gewinnen lassen?!

Zwei Todesfälle gibt es zu beklagen: Leni und Tante Martha.

Leni, die Zwergschnauzerhündin, frisst nicht mehr, verkriecht sich nur noch. Auf Anraten des Tierarztes lässt Helga sie einschläfern. Ihr Tod geht ihr sehr nahe, wie damals bei Cäsar. Ich mochte sie auch gern, diese kleine Leni. Wochen später wird Helga sagen, sie hätte eine zweite Meinung einholen sollen. Das ist das einzige Mal, dass sie an einer ihrer Entscheidungen Zweifel hegt. Es dauert nur ein paar Tage, bis sie im Internet wieder eine geeignete Zwergschnauzerhündin für ihre Mutter findet. In Norddeutschland. Nachts um vier machen sie und Willi sich auf den Weg, kommen am späten Nachmittag mit dem neuen Hausbewohner für Frau Schmitt zurück. Beeindruckend! So ist Helga!

Tante Martha war die Tante von Helgas Mutter. Dement und längere Zeit in einem Pflegeheim untergebracht. Die Entfernung dahin, mehrere hundert Kilometer, hätte Frau Schmitt nicht mehr alleine fahren können, das übernahm Helga. Sie kümmerten sich um alle Angelegenheiten von Tante Martha. Sie war nie verheiratet, kinder- und wohl auch konfessionslos. Nehme ich an, denn ihre Beerdigung, auf dem Friedhof in Altheim, dauert vom Treffen in der Leichenhalle bis zur Beisetzung am Urnengrab - ein Trauerredner spricht drei Worte, Frau Schmitt sagt, „Liebe Martha, mach es gut auf deinem letzten Weg", - gerade mal sechs Minuten! Beim anschließenden Leichenschmaus bei Helgas Mutter, Dieter ist noch dabei, spreche ich so gut wie kein Wort. Jede Beerdigung geht mir nahe, weckt Erinnerungen in mir, da ist mir nicht zum Reden zumute.

Noch oft ahmt Helga Tante Martha treffend nach – während wir eine ihrer alten Langspielplatten anhören – was uns immer amüsiert: „Kind, bist du aber groß geworden!"

Wo gestorben wird, wird auch geboren. Helga wird Oma, was aber am zerrütteten Verhältnis zu ihrer Tochter nichts ändert. Es kommt kein Kontakt mehr zustande.

Für mich ist jetzt endlich Zeit mich um die defekte Stehlampe im Wohnzimmer zu kümmern. Beim Einschalten hatte es jedes Mal die Sicherung rausgehauen. Immer wenn wir in Baumärkten oder Möbelhäusern unterwegs waren, hat

Helga sich nach einer neuen umgeschaut, nie gefiel ihr eine. Irgendwie hängt sie an dieser Lampe. Aber, wie gesagt, jetzt kann ich danach schauen, schraube sie auf und sehe sofort, dass nur ein Kabel isoliert werden muss. Die Lampe funktioniert nach dieser kleinen Reparatur wieder einwandfrei. Ich glaube, Helga freut sich. Die Scheibe des Kaminofens muss noch ausgetauscht werden, die alte hat einen Sprung. Wir richten das Grab von Helgas Oma; Frau Schmitt hatte sich bei mir darüber beklagt, dass Helga es so vernachlässige. Und eine vierte wichtige Arbeit steht an: immer wieder sind auf Helgas Cabrio Spuren auf Windschutzscheibe und Motorhaube zu sehen. Wir vermuten einen Marder, der durch das ständig gekippte Garagenfenster eindringt, und dann fröhlich die Windschutzscheibe runterrutscht! Ich fertige einen Holzrahmen an, Helga besorgt einen engmaschigen Draht, den ich darauf befestige, schraube dieses Teil vors Garagenfenster und beende somit des Marders Freuden und den Spuk.

Inzwischen sind auch die Mieträume ohne Beanstandungen zurückgegeben. Die kleine Firma führt ihre Tätigkeiten in den neuen Räumlichkeiten wie gewohnt fort. Ich bin froh, dass Helga jetzt nicht mehr ständig nach Loden fahren muss, und endlich alles unter einem Dach hat. Ist doch eine enorme Erleichterung für sie. Für einen Moment blicke ich zurück auf die letzten Monate und Jahre. Was Helga und ich in dieser Zeit zusammen geschaffen haben, ist mehr, als andere in zwei Leben schaffen würden.

Der ständige Zeitdruck, kaum war ein Projekt beendet, folgte schon das nächste und übernächste, und, auch wenn ich das Wort nicht gern benutze, dieser Stress, hat Spuren bei mir hinterlassen. Ich gehe fest davon aus, dass die kommende vor uns liegende Zeit ruhiger werden wird, und wir uns endlich mal wieder auf uns selbst konzentrieren können.

Einschläge

Es ist Juni. Nach all den Anstrengungen der letzten Jahre fühle ich mich müde, ausgelaugt. Mein Hausarzt schreibt mich zwei Wochen krank, meint, ich solle mich mal richtig ausruhen und schonen. Vierzehn Tage, die ich natürlich bei Helga verbringe.
Wir sind jetzt knapp fünf Jahre zusammen. In dieser Zeit hat es nie ein böses Wort oder eine Meinungsverschiedenheit zwischen uns gegeben.

Heute besucht uns Helgas Mutter. Wir gehen durch den Garten, ihr fallen sofort die vielen reifen Johannisbeeren auf, die dieses Jahr an den Sträuchern hängen. „Helga", sagt sie, „ich schlage vor, dass du die Beeren morgen früh abmachst und sie mir dann zum Entrispen vorbeibringst, und sie", meint sie zu mir gewandt, „können sie dann einkochen." Wir halten das alle für eine wunderbare Idee, genauso wollen wir es machen. Nachmittags lege ich mich aufs Sofa, schalte den Fernseher ein. Es ist die Zeit der Fußballeuropameisterschaft. Zwei, drei Spiele habe ich mir in den letzten Tagen schon angeschaut, ich bin ja krankgeschrieben, soll mich ausruhen. Heute läuft ein Spiel, das interessant zu werden verspricht, wenn auch ohne deutsche Beteiligung. Während ich zuschaue, fällt mir im Blickwinkel auf, wie Helga immer mal wieder in die Küche geht, dann ins Büro, ins Esszimmer usw., und das relativ geräuschvoll. Schließlich kommt sie mit einer großen Schüssel, geht Richtung Terrasse. „Was hast du denn damit vor?", frage ich. „Ich mache jetzt die Johannisbeeren ab." „Aber wir haben mit deiner Mutter doch besprochen, dass du ihr die Beeren erst morgen früh bringst." „Ich habe aber jetzt Lust, sie abzumachen." Eine Weile später kommt sie zurück, die Schüssel ist voll. Ich sage nichts, sie auch nicht, geht in die Küche, wäscht die Beeren, fängt an sie zu entrispen. Ärgert mich! So war das nicht ausgemacht. Sie agiert wieder ziemlich laut. Ich lasse mir nichts anmerken, schaue Fußball. Noch bevor das Spiel zu Ende ist, ist sie mit ihrer Arbeit fertig. „Du hättest mir ja wenigstens helfen können. Aber nein, Scheiß-Fußball!" Das ist das letzte Spiel dieser EM, das ich bei ihr anschaue. Eine Weile später stehen wir beide in der Küche, kochen die Johannisbeeren ein. Sie hilft mir. Ich weiß jetzt, es war keine gute Idee, mich bei Helga erholen zu wollen!

In jüngster Zeit ist es einige Male zu Angriffen auf Reisende in Zügen gekommen. Von da an ist die Zugfahrt nicht mehr so entspannend wie zuvor. Um nicht ganz wehrlos zu sein, zumindest das Gefühl zu haben, ich könne mich im Ernstfall wehren, kaufe ich mir in einem Fachgeschäft ein Taschenmesser, das ich ab sofort bei meinen Bahnreisen immer mit mir führe. Wie bei allem gibt es auch hier Vorschriften zu beachten. Es darf kein Springmesser sein und die Schneide darf eine bestimmte Länge nicht überschreiten. Aber scharf darf es sein. Das spüre ich, als wir einmal freitags, nach meiner Ankunft, mit Willi Helgas Lieblingsstrecke laufen. Es ist an diesem Tag mal wieder ein gemütlicher Spaziergang, so wie früher als wir uns kennenlernten. Normalerweise legt sie ein weitaus größeres Tempo vor; erinnert mich immer an einen Marsch während meiner Bundeswehrzeit, fehlt nur noch das kleine Sturmgepäck. Wobei Helga seit Cäsars Tod nicht mehr täglich läuft, Willi reicht der Platz im Garten. Und ich gehe nur selten mit, das Gassigehen mit ihm ist meist in der Zeit, wenn ich in der Küche stehe und koche.

Aber wieder zurück zu unserem Spaziergang. Wir gehen die „kleine Runde", kommen an einem Acker mit wunderschönen, nicht allzu großen Sonnenblumen vorbei. Ich schneide Helga eine ab, etwas ungeschickt, da spüre ich die Schärfe des Messers. Um den blutenden Finger wickle ich ein Papiertaschentuch. Zuhause angekommen, im Bad, will Helga die Wunde desinfizieren. „Aber bitte nimm diesmal das gute Desinfektionsspray, das du normalerweise für den Hund nimmst, das nicht brennt. Nicht das vom letzten Mal!", sage ich. Sie lacht, wird dann plötzlich ernst. „Riechst du das auch?", fragt sie mich. „Es riecht modrig." Ein paar Mal fällt ihr dieser Geruch noch auf. Dann wird die Befürchtung zur Gewissheit. An einem Sonntagmorgen hat sich im Bereich vor Dusch- und Badewanne eine kleine Wasserpfütze gebildet. Irgendwo ist wieder eine undichte Stelle! Helga ist total aufgelöst. Befürchtet, dass überall aufgeklopft werden müsse. Ich versuche sie zu beruhigen. Erstmal müsse man die Ursache finden, wird schon nicht so schlimm werden. So ganz glaube ich selbst nicht daran. Am gleichen Tag noch zieht sie Gerhard zu Rate, der tags darauf eine Spezialsäge vorbeibringt, mit der Dieter eine Fliese mit dem darunterliegenden Porenbetonstein sauber heraussägt. Mit einer speziellen Kamera stellt Gerhard fest, dass die Zuleitung der Dusche leck ist. Am gleichen Abend noch telefonieren wir, ich frage ihn, ob es nicht möglich sei, die Reparatur von der Wandrückseite – das wäre der Kellerabgang – durchzuführen. Er findet die Idee gut, einen Versuch sei es wert. Es klappt. Im Bad gibt es keine weiteren Schäden. Ich muss am Wochenende nur noch die Fliese mit dem Porenbetonstein wieder sauber einkleben, ausfugen und beim Kellerabgang die für die Reparatur geschaffene Öffnung in der Wand mit der herausgesägten Span- und Rigipsplatte verschließen.

Von meiner Patentante werden wir zu ihrem achtzigsten Geburtstag eingeladen. Das heißt, sie ruft mich an, lädt uns ein. Vielleicht hätte sie Helga auch persönlich, telefonisch, einladen sollen. Sie kommt nicht mit, hat an diesem Tag schon etwas vor, ist von ihrer Mutter zum Essen eingeladen. Das verstehe ich nicht. Aber, es ist ihre Entscheidung. Wobei ... wenn es etwas zu arbeiten gegeben hätte, wäre sie mit Sicherheit sofort gekommen. Wie vor zwei Jahren, als sie mir einen Tag lang geholfen hat, in Bernhards neuem Haus im Obergeschoss Laminat zu legen. Aber Geburtstage sind einfach nicht ihr Ding.

In diesem Sommer arbeiten wir viel im Garten. Er hat es nötig, in allen Ecken wuchert das Unkraut. Aber, für ihn hatten wir bislang wahrlich noch keine Zeit gehabt.

Daheim in Neudorf ernte ich dieses Jahr eine Menge Feigen. Die meisten koche ich ein zu Marmelade, nehme die Gläser mit zu Helga, sie mag Konfitüre so gerne. Kein Frühstück ohne. Mein selbstgemachtes Johannisbeergelee bringe ich ihr schon seit Jahren mit. Hat sie immer gefreut. Aber von dieser Feigenmarmelade ist sie nicht begeistert. Sie ist zu fest, hat einen zu eigenen Geschmack, da fehlt eine zweite Frucht. Sie hat recht!

Für eine Zeit lang geht Helga unter der Woche zu ihrer Mutter zum Mittagessen. Ich bin sehr froh darüber. Davon profitieren beide: Helga bekommt ein ordentliches Essen, ihre Mutter Unterhaltung.
Aber leider funktioniert das nur vorübergehend. Helga fühlt sich zu sehr gebunden.
Als sie sich einmal etwas genervt über ihre Mutter äußert, sage ich ihr den Spruch auf, den mich mein Onkel Otto lehrte, als ich ein kleiner Junge war: „Freddy, du musst dir immer gut merken: Wie der Acker, so die Ruben. Wie der Vater, so die Buben. Wie die Mutter, so die Töchter, nur noch schlechter!" Im Gegensatz zu Helga kann ich damals noch herzlich darüber lachen!

Über unsere Zukunft macht Helga sich Gedanken ... wir bräuchten ein gemeinsames Hobby, wenn ich in Rente wäre, wo würden wir wohnen, wenn sie ihr Geschäft nicht mehr hat? Im Haus ihrer Mutter oder im Dachgeschoss, und Dieter und Anna – eventuell mit Kindern – im Erdgeschoss? Ich entgegne, wir sollten uns doch lieber über jetzige gemein-same Unternehmungen Gedanken machen ... Warum sie jetzt schon so weit in die Zukunft schaut, ist mir schleierhaft, und doch kommt es mir irgendwie bekannt vor ...

Im Herbst sieht Helga sich mit einer weiteren schlimmen Sache konfrontiert: Ihre beste Freundin, Elke, die für die Büro-arbeiten zuständig ist, erkrankt, muss operiert werden. Ein schwerer Schlag, natürlich in erster Linie für Elke. Helga sieht es aus betriebswirtschaftlicher Sicht: Wer weiß, wie lange sie ausfällt, dieser Unsicherheitsfaktor ist Gift für den reibungslosen Ablauf des jungen Unternehmens. Noch vor der OP ist Elke damit einverstanden, zum Wohle der Firma, selbst zu kündigen. Sie hatte sich eigentlich Verständnis von Helga erhofft, der sie bei ihrer Erkrankung auch Trost und Zuspruch spendete. Mit dem Arbeitsverhältnis endet auch die Freundschaft zwischen den beiden. Sie haben nach der Kündigung keinen Kontakt mehr zueinander.

Nach dem Auswerten einiger Bewerberinnen, über die ich von Helga ständig per Mails auf dem Laufenden gehalten werde, wird die Neue zum ersten Januar eingestellt. Der Betrieb läuft nahtlos weiter.

Es ist eine Zeit, in der ich mich manchmal frage, warum ich überhaupt noch zu Helga komme. Jedes Wochenende bin ich sieben Stunden mit Bahn und Bus unterwegs, um bei ihr zu arbeiten und wieder nach Hause zu fahren. Obwohl doch alles Drängende getan ist, geht das Arbeiten unvermindert weiter, keine Pause, kein Urlaub, keine kurzen Ausflüge in die Berge oder sonst wohin. Mittlerweile helfe ich immer öfter bei ihr im Büro aus, sie selbst arbeitet von morgens bis abends, rund um die Uhr, der Wochentag spielt dabei keine Rolle.

Einmal erinnere ich sie an die Frage, die sie mir gleich zu Beginn unseres Kennenlernens gestellt hatte, damals, als sie auf der Autobahn im Stau stand: „Wie stellst du dir dein Leben in fünf bis zehn Jahren vor?" „So wie es jetzt ist auf keinen Fall", sage ich. „Das Leben kann doch nicht nur aus arbeiten bestehen! Ab und zu benötigt man doch auch Ruhephasen!" Sie kontert, sagt, sie müsse eine Firma leiten, das stehe für sie an erster Stelle, aber sie sei gerne im Büro, während ich ja lieber auf dem Sofa sitzen würde! Ausruhen könne sie sich noch, wenn sie auf dem Friedhof läge. Dann folgt – das erste Mal – eine Aufzählung meiner negativen Eigenschaften ... ich rede zu wenig, sei nicht flexibel – würde zu Kassler und Sauerkraut immer Kartoffelbrei machen –, gehe bei Regen nicht spazieren ... Ich bin bedient, das schmerzt. Vor allem: Als Faulpelz hatte ich mich bisher nicht gesehen! Aber, ich sentimentaler Simpel, ich liebe diese Frau noch immer!

Irgendwie renkt sich alles wieder ein, Streitereien gibt es in jeder Beziehung, jeder hat seine guten und schlechten Seiten.

Zu dieser Zeit habe ich einmal ein längeres Gespräch mit Helgas Mutter. Wir hatten uns irgendwas im Keller ange- schaut und stehen dort in der Werkstatt. Ich beklage mich bei ihr über das ständige Arbeiten und darüber, dass Helga und ich füreinander zu wenig Zeit hätten. Frau Schmitt ver- steht mich. Während dieses Gesprächs sagt sie einen Satz über Helga, den ich in meinem Leben nicht vergesse und an den ich mich Jahre später schmerzlich erinnern werde ...

Es ist Dezember. Seit einiger Zeit plagen mich immer wieder Rückenschmerzen. Aber so wie heute war es noch nie. Ich kann kaum aufstehen, brauche eine Viertelstunde, bis ich aus dem Bett bin, kann nicht gerade stehen, wenn ich sitze komme ich kaum mehr hoch. Ich quäle mich zu meinem Hausarzt, der mir zweierlei Tabletten verschreibt, einmal ge- gen die Schmerzen und zusätzlich gegen die Entzündung. Ausgeschlossen, in diesem Zustand am Wochenende zu Helga zu fahren. Das sage ich ihr auch bei unserem all- abendlichen Telefonat.
Nun ja, Mitgefühl von ihr hatte ich nicht erwartet, aber was dann geschieht, mit dem hatte ich nicht gerechnet. Wie schon zwei Monate zuvor zählt sie mir wieder meine negati- ven Eigenschaften (diesmal kommt noch „ständige schlechte Laune" hinzu) auf und stellt den Fortbestand un- serer Beziehung infrage. Ein Schock für mich! Das hat mir jetzt gerade noch gefehlt! Wir beenden das Telefonat ohne Ergebnis. Ich lasse mir alles in Ruhe durch den Kopf gehen, schreibe ihr im Anschluss folgende Mail:

Helga,

es ist ein Unterschied, ob ich ein Wochenende oder zehn Tage bei Dir bin. Ich kann ein Wochenende lang lustig sein, zehn Tage kann ich es nicht. Ich bin ein ruhiger, nachdenklicher, introvertierter Typ – das war schon immer so. Mit schlechter Laune hat das aber absolut nichts zu tun! Und ich brauche ab und zu ein wenig Zeit für mich – und sei es auf dem Sofa; als kleinen Ausgleich für meine – wie ich immer dachte – vielseitigen Aktivitäten.
Ich habe furchtbar viele negative Eigenschaften, bin (unbelehrbar – nein, das stimmt nicht) eingefahren, irgendein Ausdruck fehlt mir noch, komm nicht drauf;
ich will nicht im Regen spazieren gehen, ich habe Flugangst, ich werde immer zu Kassler und Sauerkraut Kartoffelbrei machen.
Die Liste ließe sich mit Sicherheit noch endlos weiterführen – aber im Moment fällt mir nichts mehr ein. Ist ja auch schon spät.
Ist das alles so inakzeptabel?

Liebe Grüße,
Freddy

Helga schreibt zurück, unsere Beziehung hätte sich in den letzten Monaten stark abgekühlt, ich würde zu wenig sprechen, fragt wo die Gefühle geblieben seien, dass nichts mehr passen würde und sie keine Lösung hätte.

Darauf antworte ich:

Stimmt. Dass die Gefühle im Laufe der Zeit auf der Strecke geblieben sind, glaube ich nicht. Aber zu kurz gekommen sind sie auf jeden Fall. Vor allem das „Gefühle zeigen". Ich habe versucht, es Dir beim Essen im Schwarzen Rappen zu erklären – leider wieder einmal zu kurz, war auch nicht der richtige Ort – dass ich in letzter Zeit öfter zweifelte, und mich fragte, warum ich noch jede freie Minute zu Dir fahre. Ich sagte: Dir zuliebe". So ist es. Ja. Ich habe Dich immer noch lieb, Du bist so eine patente Frau, wie oft haben wir die gleichen Gedanken, den gleichen Humor ...
Und, wie schon gesagt, ab und zu brauche ich meine Ruhe, das habe ich vor Jahren (zuhause) festgestellt, als ich merkte, dass ich mich im Garten auch in den Liegestuhl setzen konnte, wenn das Unkraut einen halben Meter hoch ist. Bis zu diesem Zeitpunkt hätte ich das nicht für möglich gehalten, aber ich musste es lernen, weil ich damals merkte, wenn ich so weitermache, bleibe ich irgendwann auf der Strecke.
Jahrelang haben unsere unterschiedlichen, (guten und) schlechten Eigenschaften keine Rolle gespielt. Wieso sollten wir dann nicht weiterhin damit leben können? Wir haben füreinander zu wenig Zeit. Dabei ist es egal, ob wir ein Wochenende, einen Tag oder einen Monat zusammen sind.
Das ist Gift für jede Beziehung.
LG, Freddy

Kurzer Nachtrag:
Ich meine, was fehlt ist ein wenig Unbekümmertheit, Gelassenheit, Fröhlichkeit, so die Richtung ...
Noch'n kurzer Nachtrag:
Wir hätten sollen/sollten etwas mehr auf die/den Andere(n) zugehen, nachfragen, was sie/ihn bewegt, was sie/er möchte ...
Es kommt mir vor wie nach Deiner 1. OP.
Ich machte damals Sudokus, wie niemals zuvor und niemals danach, es war mir langweilig, wie niemals zuvor und niemals danach – und wollte dabei doch nur alles richtig machen: Dich schonen. Dabei wolltest Du ja gar nicht geschont werden, sondern etwas unternehmen! Aber, keine/r wusste das vom Anderen; ich nicht, weil ich so wenig redete/fragte und Du, weil Du diesbezüglich auch zu wenig gesagt/gefragt hast.
Du weißt, wie es weiterging.
Heute trinke ich keine zwei Flaschen Rotwein, heute muss ich unterschiedliche Tabletten nehmen.
Wäre schön, wenn das Ergebnis trotzdem das Gleiche wäre!

Das Resultat ist tatsächlich das Gleiche. An Weihnachten, diesmal am ersten Weihnachtsfeiertag, fahre ich wieder zu Helga.

Für den zweiten Weihnachtsfeiertag hat Helgas Mutter uns, Dieter und Anna ins Restaurant eingeladen. Etwas gehobeneres Ambiente, hauptsächlich preislich, das Essen

Durchschnitt. Die meiste Zeit redet Frau Schmitt, einmal zu mir gewandt, sie fände es ja gut, dass ich mich an Heiligabend immer um meine beiden Buben kümmern würde, aber ich solle nicht vergessen, dass es noch andere Leute gäbe, die alleine sind. Helga antwortet ihr, dieses Thema gehöre nicht hier her. Ich kann mich nicht dazu äußern. Kann nicht sagen, dass Helga und ich dieses Jahr getrennt feierten, und sie ihre Mutter ja hätte einladen können. Auch nicht, dass ich im Todesjahr ihres Vaters den Vorschlag machte, ihre Mutter an Heiligabend einzuladen. Damit hätte ich sie bloßgestellt. Soll Frau Schmitt lieber denken, ich sei daran schuld.

Trotz ihrer vielen Arbeit erledigt Helga alles für ihre Mutter, ist immer für sie da, nur an Heiligabend nicht.

An Silvester sind wir dieses Jahr wieder in der Grünen Rebe. Zum dritten Mal. Wir haben einen kleinen Tisch am Ende des Nebenzimmers. Kein schöner Platz. Vor allem Helga gefällt er nicht. Leider erfahre ich das erst, als wir wieder zuhause sind. Sie sitzt mit dem Rücken zum Lokal, sieht nur die Wand ... und mich. Hätte sie doch nur gleich etwas gesagt, eine Bemerkung und wir hätten die Plätze getauscht. Aber sie verzieht keine Miene, lässt sich absolut nichts anmerken. Es kommt die Vorspeise. Eine klare Brühe mit Sprossen. Aber, was ist das? Ich mache Helga darauf aufmerksam: Eine „Sprosse" ist schneller als die anderen! Auf dem Tellerrand erwische ich sie, entsorge sie mit der Serviette, bevor sie sich aus dem Staub, sprich aus „der

Suppe" machen kann. Das übrige Essen ist wie immer hervorragend. Dennoch sind wir dieses Jahr die Ersten die gehen, was aber weniger der schnellen „Sprosse" als vielmehr unserem schlechten Platz geschuldet ist.

Auch diesen Winter gibt es in Helgas Firma wieder ausgesprochen viel zu tun, wobei ich ihr fleißig helfe. Daneben planen wir schon für das kommende Jahr – natürlich Arbeiten, die das Haus betreffen. Die Außenanlage soll erneuert, großzügiger gestaltet werden. Zunächst muss das Garagendach abgedichtet, dann soll die Zufahrt neu gepflastert werden und wir brauchen einen Carport. Seitdem Helga ihr Cabrio in der Garage stehen hat, muss ihr SUV immer im Freien parken. Natürlich auch die Fahrzeuge von Dieter und Anna.

Als Erstes ist die Garage dran. Dieter schippt den Kies vom Garagendach, wir werden ihn später noch gebrauchen, und Dachdecker beschichten das Dach neu. Der erste Schritt ist getan. Der Zweite entpuppt sich als schwierig. Die Planung des Carports. Ständig sind wir draußen, messen und beratschlagen, wie wir den Carport optimal stellen können. Und immer wieder tauchen zwei Hindernisse auf: die alte Holzhütte und die Trauerweide. Beides müsste entfernt werden. Der Abriss der Holzhütte ist bald beschlossene Sache, aber das Fällen der Trauerweide verlangt von Dieter und mir viel Überzeugungsarbeit, bis Helga damit einverstanden ist. Sie hängt sehr an diesem Baum.

Schließlich willigt sie ein. Die Trauerweide ist ein gewaltiger Baum, ein unheimlicher Aufwand, bis alle Äste kleingesägt und entsorgt sind. Wir lassen nur den Stamm stehen, der wird später im Zuge der Pflasterarbeiten entfernt werden.

Im Internet hat Helga eine neue Holzhütte bestellt; wir haben auch schon einen Platz dafür: Sie soll schräg neben das Gartenhäuschen kommen, das wird ein schönes einheitliches Bild abgeben. Jetzt bin ich wieder gefordert. Ich kann für diese Hütte, in der das Holz gelagert wird, nicht die gleiche Unterkonstruktion, nicht das gleiche Fundament, bauen wie für die Gartenhütte. Sie wird dafür viel zu schwer. Aber, wir haben ja noch den Kies ... und darauf Waschbetonplatten ... so müsste es gehen. Und so wird es dann auch gemacht. Ich hebe wieder Erde aus, gerade so tief, dass der einzubringende Kies und etwas Splitt, den ich dann mit einer Rüttelplatte verdichte, zusammen mit den zwölf Quadratmetern Waschbetonplatten, die ich darauf verlege und einsande, eine Höhe mit dem angrenzenden Rasen bildet. Das Wochenende darauf wird die Hütte geliefert, Dieter und ich bauen sie auf. Es klappt reibungslos. Bevor ich Wochen später die mitgelieferten Bitumenschindeln befestigen werde, bringen wir als ersten Regenschutz eine Lage Dachpappe auf.
Für das nächste Wochenende hat Helga vier Ster Holz bestellt. Das neu angelieferte Holz stapeln wir als erstes in die Hütte ein, Dieter und Anna helfen. Es ist ein ausgesprochen heißer Tag. Danach geht es ans

Umschichten. Raus mit dem Holz aus der alten Hütte, mit der Schubkarre zur neuen und dort einschichten. Es sind geschätzt nochmals sechs, sieben Ster. Irgendwann im Laufe des Nachmittags verabschieden sich Dieter und Anna, sie haben eine Verabredung. Helga und ich machen weiter. Es ist eine äußerst schweißtreibende Angelegenheit, aber wir schaffen es, die alte Hütte bevor es dunkel wird komplett leerzuräumen.

Inzwischen sind auch schon die ersten Angebote für die Pflasterarbeiten und den Carport eingegangen, etliche Handwerker sind dagewesen. Letztendlich entscheiden wir uns für einen Pflasterer, der wiederum einen Zimmermann für den Bau des Carports empfiehlt. Nach ausführlicher Beratung mit ihm ist klar, es werden zwei Doppelcarports gebaut. Aber diese Arbeiten können erst im Herbst beginnen, davor sind die Handwerker ausgebucht. Wir haben jetzt nur noch die Aufgabe, bei diversen Herstellern und Baustoff-handeln die „richtigen" Pflastersteine auszusuchen und die alte Holzhütte abzureißen und zu entsorgen.

Nun wird es Zeit, mal wieder im Garten nach dem Rechten zu schauen. Im Winter hatten wir uns Tomatensamen, alles alte Sorten, schicken lassen, diese dann ausgesät und die Pflanzen selbst gezogen. Sie haben sich prächtig entwickelt, werden jetzt mit weiteren Gemüse- und Salatpflanzen, dieses Jahr auch Auberginen, gesetzt. Und ein paar zusätzliche Stauden entlang der Ligusterhecke. Es ist eine schöne Zeit, viel zu tun, aber alles Gartenarbeit, die Spaß macht.

Heute ist Freitag. Helga hat mich gerade vom Bahnhof abgeholt, wie immer habe ich gleich die Arbeitskleidung angezogen und jetzt sitzen wir in der Küche, zunächst etwas Herzhaftes essen, dann ein süßes Teil und eine Tasse Kaffee dazu, bevor es ans Arbeiten geht. Es klingelt, Helgas Mutter kommt. Sie stehen beide im Wohnzimmer, reden. Ich begrüße Frau Schmitt, die ihre leichte Jacke anbehält, und gehe wieder in die Küche, möchte schnell zu Ende essen. Bevor ich damit fertig bin, ist Frau Schmitt schon wieder gegangen. Ich denke mir nichts dabei, aber für knapp zwei Jahre wird sie nicht mehr kommen, wenn ich bei Helga bin.

Das ganze Jahr schon leide ich unter starken Rückenschmerzen. Zuhause in Neudorf bekomme ich ständig Krankengymnastik und Massagen. Manchmal kann ich morgens kaum aufstehen, es kommt einige Male vor, dass Helga mir einen Hocker ins Bett stellt, damit ich die Beine anwinkeln kann, danach wird es besser. Arbeiten, ganz ohne Schmerzen, ist nicht mehr möglich.

Sie fragt mich immer mal wieder, wann ich denn ganz zu ihr ziehen werde. Ich verstehe sie, aber jetzt geht es noch nicht. Geplant ist, wenn ich in Rente bin. Um dieses Ziel schneller zu erreichen, habe ich bereits eine Sonderzahlung an die Deutsche Rentenversicherung geleistet, die es mir ermöglicht, drei Jahre früher, mit dreiundsechzig, ohne Abschläge dieses Vorhaben zu verwirklichen. Besser wäre, wenn es schon mit einundsechzig klappen würde. Das wäre in zwei Jahren. Aber dazu bräuchte ich einen GdB 50. Bisher habe ich einen GdB 30, stelle aufgrund meiner starken Rückenprobleme einen Verschlechterungsantrag. Vielleicht klappt es ja!

Inzwischen ist Sommer. Über unsere Geburtstage habe ich wieder Urlaub genommen. Und wir haben einen Entschluss gefasst: Wir wollen das erste Mal, seit wir uns kennen, seit sechs Jahren, ein paar Tage Urlaub machen. In Südtirol. Ich freue mich darauf wie ein kleiner Junge. Endlich mal ein paar Tage nur für uns, erholen, entspannen. Anfang September wird es soweit sein.

Helga hat heute einen Außentermin in einer kleinen Stadt im Allgäu. Wird nicht lange dauern, sei aber sehr wichtig, meint sie.
Bei herrlichem Kaiserwetter fahre ich kurzentschlossen mit. Wir wollen uns bei dieser Gelegenheit mal wieder einen schönen Tag machen. Schon die Fahrt dahin ist erholsam, ich fühle mich, als würden wir schon in Urlaub fahren. Der Termin ist wirklich schnell erledigt, ich habe so lange auf Willi aufgepasst. Wir haben vor, ein wenig das kleine Städtchen zu erkunden. Es soll hier einen sehr schönen Stadtgarten geben. Etwas außerhalb parken wir auf einem großen öffentlichen Parkplatz, gehen ins Stadtinnere. Der Park ist

tatsächlich sehenswert. Es macht Freude, in aller Ruhe, ohne Hektik gemütlich umherzuschlendern. Das Laufen und auch die Tatsache, dass wir schon etliche Stunden unterwegs sind, macht uns hungrig. Wir finden ein nettes Lokal, in dem wir ausgezeichnet essen. Helga lässt sich einen sogenannten Bewirtungsbeleg geben. Ihr Steuerberater hatte ihr schon beim Erstgespräch, bei dem es hauptsächlich um die Übernahme des Konstruktionsbüros ging, gesagt, sie müsse sich für alles ordnungsgemäße Belege geben lassen. Er wird schon wissen, wie er ihn verbuchen muss. Beim Parkplatz trennen sich unsere Wege, ich gehe mit Willi schon zum Auto, gebe ihm Wasser, Helga geht zum Kassenhäuschen die Parkgebühr entrichten. Sie bleibt lange weg. Endlich kommt sie, mit hochrotem Kopf, sichtlich aufgebracht. Die ganze Zeit hat sie sich mit dem Kassierer gezofft, weil er ihr keinen ordnungsgemäßen Beleg über die Parkgebühr geben konnte! Ich versuche, so gut es geht, sie zu beruhigen, sage, das sei doch die ganze Aufregung nicht wert. Heute sitze ich bei der Heimfahrt hinter dem Lenkrad ihres weißen Cabrios.

Ja, sie hat ihre Prinzipien, und um diese durchzusetzen, kann sie ganz schön streitbar und vielleicht auch ein ganz klein wenig rechthaberisch sein. Aber bestimmt nicht pflegeleicht, wie sie immer von sich behauptet. Dabei spielt es keine Rolle, ob es um einen Beleg für ein Parkticket geht, einen über fünfzig Euro im Restaurant, ein paar Euro beim Bäcker, oder fünfzig Cent bei einer Klofrau!

Während Helga sich langsam beruhigt, muss ich lächeln, als wir losfahren. Ich liebe diese Frau, mit ihren Macken, eben: Helga. Ich hätte es ihr auch mal sagen sollen ...

Inzwischen ist es Anfang September. Heute geht es los. In den lang ersehnten Urlaub. Nur fünf Tage, aber immerhin. Zunächst aber kommt es zu einem kleinen Disput. Helga will zwei Laptops mitnehmen. Ich sehe das nicht ein. Ich brauche kein Laptop im Urlaub! Natürlich nehmen wir es trotzdem mit, Helga setzt sich durch. Wäre ich doch still gewesen, die Auseinandersetzung hätte ich uns ersparen können.

Den Anreisetag haben wir absichtlich auf einen Sonntag gelegt, samstags ist im allgemeinen Bettenwechsel, und damit viel Verkehr, und außerdem sollten sonntags keine Lkw's unterwegs sein. Wir starten so rechtzeitig, dass wir am Reiseziel noch etwas vom ersten Tag haben. Ich fahre. Alles geht gut, bis zum Fernpass. Blockabfertigung. So etwas haben wir noch nicht erlebt. Fahren, stehen, fahren, stehen. Und das über Stunden. Ich sage zu Helga, „Wenn wir Glück haben, sind wir bis zur Kaffeezeit im Hotel." Danach geht es zügig weiter. Bis zum Brenner. Stau. „Vielleicht kommen wir ja noch rechtzeitig zum Abendessen an", sage ich zu ihr. Dann geht es wieder ein Stück weiter. Erneut Stau. „Wenn sie uns wenigstens noch ein paar belegte Brote machen", ... Wir sind leicht frustriert. Die Anreise hatten wir uns anders vorgestellt. Schneller. Jetzt bleiben uns restliche vier Tage zum Erholen, bevor wir am Freitag wieder abreisen.

Als wir nach Begrüßung, Zimmerbezug und frisch machen endlich den Speisesaal erreichen, haben die ersten Gäste schon gegessen, die letzten sind beim Nachtisch. Wenigstens bekommen wir einen sehr schönen Tisch zugewiesen und haben einen freundlichen Kellner, über den wir uns köstlich amüsieren. Als Hauptgericht gibt es Rinderbraten, leicht verkocht. Oje, denke ich. Aber das Essen ist in der Folgezeit immer ganz hervorragend, vor allem der Nachtisch ist jedes Mal ein Gedicht. Auch das Frühstück ist ausgezeichnet, da bleiben keine Wünsche offen. Und am frühen Nachmittag gibt es Kaffee und Kuchen und kleinere herzhafte Speisen. Dreiviertel-Verwöhnpension, Herz, was willst du mehr! Wir haben ein schönes geräumiges Zimmer mit Balkon, nur die Matratzen sind nicht nach Helgas Geschmack, ihr Kopfkissen auch nicht. Ich gebe ihr meins. Das Hotel verfügt über einen wunderbaren Wellnessbereich, den ich jeden Tag nutze. Helga geht nur einmal mit. Ansonsten sitzt sie in dieser Zeit auf dem Bett oder Sofa, mit ihrem Laptop oder liest Fachzeitschriften. Wenn ich dazukomme, schalte ich mir den Fernseher ein, meistens NTV, um dabei ganz entspannt ein wenig einzunicken. Natürlich gehen wir auch mit Willi laufen. Helga morgens, vor dem Frühstück, und abends, kurz vor dem Schlafengehen. Ich gehe nur einmal am Tag mit, wenn wir eine Wanderung unternehmen. Als kleiner Höhepunkt sind alle Hotelgäste zum Grillen – bei freien Getränken – auf eine Almhütte eingeladen. Sogar für Livemusik ist gesorgt, ein zünftiger Nachmittag. Aber, Helga wäre nicht Helga, wenn ihr das schon genügen würde. Und so kommt es, dass wir einmal nach dem Frühstück starten, sie fährt. Zunächst nach Brixen, kurzer Stadtbummel, dann nach Bozen, kurzer Stadtbummel, dann nach Meran, kurzer Stadtbummel. Hier kehren wir auch ein, Helga trinkt eine Tasse Kaffee, ich ein Glas Wein. Bevor wir wieder zum Hotel fahren, kauft sie in einem Supermarkt zwei Flaschen Rotwein und Schinken, jeweils Südtiroler Spezialitäten. Wirklich eine gute Wahl, wie sich später, zuhause, rausstellen wird. Die Waren auf dem Markt sind ihr zu teuer gewesen. Mir hätten einige zugesagt, aber ich Dödel hatte kein Portemonnaie dabei ... Brixen, Bozen, Meran an einem halben Tag! Das ist neuer Rekord. Dafür nehmen sich andere drei Wochen Zeit.

Als wir freitagmorgens wieder losfahren, kommt es erneut zu einem kleinen Disput. Helga hat schon angefangen, die Koffer einzuladen, während ich das restliche Gepäck zum Auto trage. Es passt nicht alles rein, ich lade es wieder aus. Auf ein Neues. Es nervt mich, aber sie hat es ja nur gutgemeint. Ich merke, dass diese paar Tage zum Erholen für mich bei weitem nicht ausgereicht haben. Die Heimreise geht zügig, ohne nennenswerte Staus vonstatten. Jetzt hat uns der Alltag – beinahe – frisch erholt wieder.

Ich habe noch einige Tage frei, Zeit, die wir dringend benötigen. Der Pflasterer hat sich angesagt, will anfangen. Aber zuvor müssen wir den alten Zaun entfernen, und damit einen Behelfszaun bilden, so dass Willi auch während der Baumaßnahmen im Garten herumtollen kann, ohne ausbüxen zu können. Und ich streiche die Garage, bevor die Pflasterarbeiten beginnen, den Sockel erst danach, nachdem ich ein paar Risse mit Acryl ausgebessert habe. Dann müssen einige Pflanzen versetzt werden, wir kochen die erste Tomatensoße von unseren selbst gezogenen Tomaten ein und ich fange an, im Steingarten unansehnlich gewordene Koniferen auszureißen. Er soll komplett neu angelegt werden. Und schon beginnen die Pflasterer mit ihrer Arbeit, zunächst mit dem Ausheben der alten Pflastersteine, eines Teils des Rasens und der Trauerweide.

Helga und ich haben ausgesprochen gute Laune, es klappt mal wieder alles wie am Schnürchen. Wie gut es uns doch ginge, meint sie, und, dass ihre Firma mein Gehalt mittragen würde. Wir ziehen sogar einen Kurzurlaub über Allerheiligen in Erwägung. Für den Fall, dass ich in anderthalb Jahren nicht in Rente gehen könne, entwickeln wir einen Plan B. Dann würde sie mich einstellen, bis ich dreiundsechzig bin. Sollten die Geschäfte wider Erwarten schlechter laufen, müsste ich mich eventuell vorübergehend arbeitslos melden, oder die Zeit mit Krankmeldungen überbrücken.

Auch dieser Urlaub geht zu Ende, ich freue mich schon auf das nächste Wochenende. Es ist ein verlängertes, der Dritte Oktober fällt auf einen Dienstag.

Die Pflasterarbeiten sind schon weit fortgeschritten und auch die beiden Doppelcarports stehen schon. Fehlen nur noch die Dächer. Aber zuvor streichen wir die Balken. Dieter hilft. Es ist, obwohl wir zu dritt sind, eine langwierige Angelegenheit. Ich bin froh, als wir fertig sind. Dieter verabschiedet sich. Fertig? Weit gefehlt. Helga beginnt damit, die Holzhütte zu streichen. Ich bin sauer, schimpfe lautstark. Frage, ob denn nie Feierabend sein kann. Irgendwann muss doch mal Schluss sein! Das hätten wir noch ein anderes Mal machen können! Helga sagt nichts. Sie streicht. Sie lässt sich nicht abbringen. Schließlich helfe ich ihr. Natürlich. Mein Ärger ist wieder verflogen, ich kann ihr nicht böse sein. Jede Wand streichen wir gemeinsam, sie von links nach rechts, ich von rechts nach links. Jeweils bis zur Mitte. Abends gehen wir essen.

Am Sonntagmorgen, nach dem Frühstück, kommt es zu einer gewaltigen Auseinandersetzung. Sie wirft mir wieder einmal meine schlechten Eigenschaften vor, dass ich ständig über die Handwerker und meine Freunde schimpfen und das Fernsehprogramm bestimmen würde, auch wo wir zum Essen hingingen, und, und, und. Sie brauche eine Auszeit, so wolle sie nicht weitermachen. Dieter werde mich zum Bahnhof fahren, sie müsse mit dem Hund Gassi gehen. Ich bin platt. Es trifft mich wieder wie aus heiterem Himmel. In diesem Moment hätte ich für unsere Beziehung keinen Pfifferling mehr gegeben. Ich drucke meine Fahrkarte aus, Dieter fährt mich zum Bahnhof nach Loden. So, denke ich, das war's. Aber, das Ganze lässt mir keine Ruhe. Nach einigen Tagen schreibe ich ihr folgende Mail:

Liebe Helga,

was ich nicht verstehe ...

Ich war letztes Wochenende der gleiche Mensch wie das Wochenende zuvor, mit den gleichen – Dir bekannten – negativen Charaktereigenschaften (u.a. manchmal nicht/wenig reden). Nur, dass Du sie mir letztes WE vorgehalten hast.

Ein WE zuvor sprachst Du noch davon, wie gut wir es doch hätten, dass Deine Firma, wenn sie so weiterliefe, mein Gehalt mittragen würde. Wir haben einen Kurzurlaub über Allerheiligen in Betracht gezogen, solltest Du nicht den Hund Deiner Mutter hüten müssen (wieso plant man schon den nächsten, wenn der gerade beendete nichts war??), und ein Wochenende später überwiegt wieder diese negative Charaktereigenschaft, schimpfe ich wieder ständig über Bernhard, Fritz und die Handwerker, löse ich keine Probleme, sondern verdränge sie, gehe ich zu spät zu Bett, hat mir der Urlaub nicht gepasst, habe ich Dir das lange Wochenende versaut.

Plötzlich erfahre ich auch, dass ich im Frühjahr Deiner Mutter gegenüber einmal „komisch" war, weil ich sie nur kurz begrüßte, und mich nicht nach ihrem Befinden erkundigt und sie hofiert habe. ...... An diesem Wochenende hast Du sie zum ersten Mal in Schutz genommen – gegen ein „komisches" Verhalten meinerseits im Frühjahr.

Das verstehe ich nicht.

Grüße,
Freddy

Mit meinen beiden Freunden Fritz und Bernhard treffe ich mich übrigens schon seit der Schulzeit Mitte der Siebziger jede Woche einmal. Wir sprechen über alles. Es geht meistens ausgelassen, heiter zu, ab und zu aber auch ernst. Es kann sogar passieren, dass wir nicht einer Meinung sind und dann können schon mal die Fetzen fliegen. Helga wollte immer wissen, was wir bei unserem Stammtisch besprochen hätten, natürlich habe ich ihr alles erzählt. Auch das Negative. Bisher. Später nicht mehr.

Es dauert wiederum einige Tage, dann meldet sich Helga. Ohne auf ihre Auszeit einzugehen, als ob nie etwas gewesen wäre. Von da an telefonieren wir wieder täglich. In meiner Mittagspause ruft sie an, abends ich. Einmal erwähnt sie beiläufig, dass Dimitrios, nach der Trennung, seine Zelte in Kanada abgebrochen hat, sich wieder in Deutschland ansiedeln will und dafür ein Haus zu kaufen sucht.

Das folgende Wochenende fahre ich wieder zu ihr. Als wir freitagabends im Bett liegen, sagt sie leise, „Du hast mir gefehlt, ich habe sogar Dein Schnarchen vermisst." „Ich Deins auch", entgegne ich. Das ist das Schönste, das sie mir seit Jahren gesagt hat. Und dann kommt es wieder zu unserem allabendlichen Ritual, ich beuge mich zu ihr, sie fragt, „Wo bist'n du?" Kuss. Und wie jeden Abend finden sich unsere Hände. Ich bin glücklich. Das ist meine Frau, wir gehören zusammen. Auch wenn es ab und zu Meinungsverschiedenheiten gibt. So etwas kommt in jeder Beziehung vor.

Inzwischen sind alle Pflasterarbeiten abgeschlossen und auch die beiden Doppelcarports sind fertig. In den Steingarten pflanzen wir Rosen, die Helga bei einem Discounter günstig gekauft hat. Rote, rosafarbene, gelbe und weiße. Dann füllen wir mit Rindenmulch auf, und ich mauere entlang der Terrassentreppe ein paar Natursteine, damit der Rindenmulch nicht herunterbröselt und lege einige Natursteinplatten als Trittstufen in Richtung Holzhütte. Im Garten sind noch die üblichen herbstlichen Arbeiten zu verrichten, wir besuchen einige Weihnachtsmärkte, und dann geht es schon wieder mit dem Abarbeiten der vielen Aufträge in Helgas Geschäft weiter. Heiligabend feiern wir dieses Jahr zusammen mit Martin und Kevin, und nach dem Essen geht's wieder heim zu Helga nach Altheim.

Gleich nach den Feiertagen gehen wir einkaufen. Meistens erledigt Helga das alleine. Ich kenne dabei ihre Vorgehensweise, ich verfahre genauso. Die einzelnen benötigten Nahrungsmittel werden der Reihe nach schon so auf den Einkaufszettel geschrieben, wie sie im jeweiligen

Supermarkt in den Regalen stehen. Das erspart zusätzliche Wege, der ganze Einkauf wird schnell und zeitsparend erledigt. Während Helga an der Fleischtheke ansteht, verschaffe ich mir an der Kühltheke einen Überblick. Plötzlich entdecke ich Kutteln! Wie lange habe ich schon keine mehr gegessen! Kindheitserinnerungen werden wach, meine Mutter hat sie ab und zu gekocht, wie haben sie immer so lecker geschmeckt! Wir haben damals „Sülz" dazu gesagt. Im Gegensatz zu mir ist Helga kein Fan von Kutteln, aber wir nehmen welche mit.

Ich kann es kaum erwarten, sie in das Abendessen mit „einzubauen". Diesmal muss ich nach Rezept kochen, habe ja noch nie zuvor welche gemacht. Im Internet werde ich schnell fündig, die Zutaten haben wir alle zuhause. Ich richte alles vor, dann geht es auch schon los ... Öl erhitzen, Zwiebeln, Kutteln und Mehl anrösten, mit Fleischbrühe nach und nach ablöschen, Gewürze, Salz, Pfeffer, Essig dazugeben – so köchelt es eine Weile. Dann, zum Schluss, als Krönung, einen wirklich kräftigen Schuss Rotwein dazu ... Scheiße!!! Ich habe die falsche Flasche erwischt, statt des trockenen Rotweins habe ich den Glühwein, von dem wir gestern Abend getrunken haben, genommen! Es entfaltet sich ein unbeschreibliches Aroma und ausgerechnet jetzt kommt Helga herein, ist, ohne Worte, ruckzuck wieder verschwunden. In diesem Moment verstehe ich sie, wenn sie sagt, die Küche gehöre zugemauert. Wenn ich das Fenster öffnen würde, ich glaube, die Vögel fielen benommen von den Bäumen! Man sieht, schon ein einzelner

Koch kann den Brei verderben. Meine schönen Kutteln! Ich entschließe mich, sie dennoch zu essen, gebe noch etwas Essig dazu und verspeise sie dann, ohne Beilagen, aber auch ohne Genuss, in der Küche aus dem Topf, als „Kutteln asiatisch süß-sauer". Guten Appetit! Anstelle des endlich abgezogenen kotzerbärmlichen Gestankes füllt plötzlich ein schallendes Gelächter von uns beiden die Räumlichkeiten. So viel Humor habe ich noch, um hier herzhaft mitlachen zu können!

Silvester sind wir dieses Jahr nicht in der Grünen Rebe. Mit ein wenig Glück haben wir einen der letzten Tische in einem etwas gehobeneren Restaurant ergattert. Es ist ein großes Lokal, beinahe zu geräumig, um gemütlich zu sein. Aber besser so, als sich mit anderen zu eng auf der Pelle zu sitzen. Ein Sieben-Gänge-Menü ist angesagt. Alles ist ausgezeichnet. Keine Frage. Aber das war es die letzten Jahre auch. Das Servicepersonal benimmt sich leicht affektiert, vor allem eine Dame, die nur nach dem Rechten schaut, schauen soll, das aber irgendwie vergisst und kumpelhaft mit manchen Gästen spricht. Passt nicht. Es kommt uns vor, wie „gewollt, aber nicht gekonnt". Es ist okay, darin sind wir uns einig, mehr aber nicht.

Wie jeden Winter verlagert sich die Arbeit dieses Jahr wieder in Helgas Firma. Es ist extrem viel zu tun. Ich helfe ihr, so gut ich kann, zum Jahresbeginn und später, während des gesamten Jahres.

Es wird Frühling. Schön zu sehen, wie im Garten neues Leben erwacht. Überall sprießen die Knospen, treiben aus. Auch die Rosenstöcke, die wir im Herbst gepflanzt haben. Wir freuen uns, dass alles so schön angewachsen ist. Doch dann kommt ein Kälteeinbruch. Über Nacht. Damit hatte niemand gerechnet. Der Schaden ist enorm. Beinahe alle Triebe an den Rosenstöcken sind erfroren. Zunächst haben wir Hoffnung, dass sie sich wieder erholen. Wir warten ab. Doch die ganze Arbeit war umsonst. Wir müssen sie alle durch neue ersetzen. Aber dieses Mal wollen wir sehen, was wir kaufen. Dafür ist es allerdings noch zu früh. In der Zwischenzeit widme ich mich den üblichen Gartenarbeiten. Umgraben, einsähen, pflanzen. Wie im letzten Jahr haben wir wieder unsere eigenen Tomaten gezogen, Mitte Mai, nach der „Kalten Sophie", setze ich sie in den Garten. Jetzt ist die richtige Zeit weitere Gemüsepflanzen zu kaufen. Und: neue Rosenstöcke. Wir besuchen unzählige Baumschulen, Gartencenter, Rosenmärkte. Überall nehmen wir etwas mit. Aber richtig fündig werden wir erst in einer Rosenschule. Was für eine Pracht! Herrliche Rosen, so weit man schauen kann. Hier können wir aus dem Vollen schöpfen, was wir begeistert tun. Zusätzlich nehmen wir einige Stauden mit, zur Ergänzung entlang der Hecke. Es macht großen Spaß, zu überlegen, welche Pflanze wo am besten zur Geltung kommt, hinzustellen, wieder wegzunehmen, bis jede ihren Platz hat. Ein wenig bin ich froh über den späten Kälteeinbruch. Diese Rosen gefallen mir doch um einiges besser als die im Herbst vom Discounter. Der provisorische

Zaun hat seine Schuldigkeit getan, wir ersetzen ihn durch einen neuen, stabilen. Und der Rasen ist wieder fällig. Obwohl Helga ständig Löwenzahn aussticht, gegen das viele restliche Unkraut hilft erneut nur Chemie.

Ich habe mir in letzter Zeit angewöhnt, Sonntag vormittags zwischen elf und zwölf den Sonntags-Stammtisch anzuschauen. Ist immer sehr unterhaltsam. Blöd nur, dass die Sendezeit genau in Helgas Putzzeiten fällt. In dieser Zeit wird ausgiebig die Wohnung gesaugt, werden kleinere Möbelstücke gerückt. Das nervt. Zu gern würde ich die Sendung mal ungestört anschauen. Während ich mir noch überlege, bei den Verantwortlichen um eine Verlegung des Sendetermins zu bitten, spielt mir das Wetter in die Karten. Es wird ein unerträglich heißer Sommer. Um der sengenden Mittagshitze zu entgehen, beschließe ich, sonntags den Zug um 10:04 Uhr und nicht erst um 14:04 Uhr zu nehmen. So bin ich schon vor dreizehn Uhr zuhause. Das hat den weiteren Vorteil, dass ich wenigstens diesen halben Tag in der Woche etwas ausruhen kann. Die Regelung behalte ich bei.
Der heiße trockene Sommer ist auch der Grund dafür, dass ich Helga erstmals keine Rosen von zuhause mitbringen kann. Sie sind einfach zu schnell verblüht, kaum dass sie aufgegangen sind. Gut, dass sie jetzt selbst welche hat, aber schlecht, dass ich nicht auf die Idee komme, ihr wenigstens ab und zu ein paar abzuschneiden, und als kleine Aufmerksamkeit in die Vase zu stellen ...

Es ist das Jahr der runden Geburtstage. Fritz, Inge, Gerhard, ich ... wir alle werden sechzig. Schon seit dem Frühjahr weiß ich, dass Fritz und Inge im Sommer im herrlichen Biergarten unserer Stammkneipe feiern wollen. Ich freue mich darauf. Das letzte Mal feierten sie ihren Vierzigsten. Insgesamt dreimal bitte ich Fritz, Helga persönlich einzuladen. Erzähle ihm vom Geburtstag meiner Patentante. Er verspricht es jedes Mal. Aber immer, wenn ich Helga frage, ob er schon angerufen hat, verneint sie es. Sie werde nicht mitgehen. Erst fünf Tage vor dem Fest erhalten wir eine WhatsApp mit einem Foto der Einladungskarte. Jetzt ist es zu spät. Ich wage noch einen Versuch, sage, wir können da nicht wegbleiben ... Ich könne ja gehen, meint sie. Nein. Das kommt für mich nicht in Frage. Entweder beide oder keiner.

Über meinen Geburtstag würde ich gerne ein paar Tage wegfahren. Helga macht den Vorschlag nach Leipzig zu fahren, zu einer Freundin. Das will ich nicht. Wäre mir zu viel Stress. Ich möchte ein paar Tage mit ihr alleine sein, einfach mal die Seele baumeln lassen. Aber wir können doch über ihren Geburtstag nach Leipzig fahren ... möchte sie nicht. Schließlich verbringen wir ganze drei Tage in Österreich. Wieder in einem sehr schönen Hotel, mit ausgezeichnetem Essen. Vielleicht sogar etwas besser als letztes Jahr in Südtirol. Außer dem Nachtisch. Dafür ist der Mittags-Snack gigantisch. Wir unternehmen zwei Kurzausflüge. Einen Tag besuchen wir einen Stausee und an meinem Geburtstag fahren wir zu einem Bergsee. Das heißt, wir fahren bis zur

Talstation. Zum See hoch, müssen wir mit der Seilbahn. Passt mir überhaupt nicht. Diese Scheiß-Höhenangst ... Ich versuche, mich davor zu drücken, willige dann aber doch ein. Während wir die Fahrtzeiten und -preise studieren, fängt Helga plötzlich schallend an zu lachen, amüsiert sich köstlich. Ich mich nicht. Mir ist nicht danach zumute: Senioren ab sechzig erhalten eine Ermäßigung! Die sechs als erste Ziffer gibt mir ganz stark zu denken!

Wieder zuhause in Altheim steht bald schon Helgas Geburtstag vor der Tür. Wir gehen essen, laden Gerhard und seine Frau Sieglinde dazu ein. Es ist ein schöner, lustiger Abend, an dem auch gefrotzelt wird. Wie es unter Freunden nun mal üblich ist. Ein wenig bremse ich Helga ein, als sie mit Gerhard zum wiederholten Male ein sanitärtechnisches Problem erörtern möchte. Und sie erzählt genüsslich, dass ich einmal nachts aus dem Bett gefallen bin, und wie verdutzt ich danach aus der Wäsche schaute ... Das Gelächter ist groß. Jeder hat an diesem Abend seinen Spaß. Denke ich.

Neben anhaltenden Büroarbeiten ist immer wieder einiges im Garten zu tun. Der Rasen hat sich wunderbar erholt, ist nahezu unkrautfrei. Die Rosen und Stauden stehen in voller Blütenpracht. Helga hätte gern eine Treppe die Böschung hinunter, durch das Immergrün. Auch diesen Wunsch erfülle ich ihr, mit L-Betonsteinen. Noch ein paar Steinplatten vor die Gartentür, den Rasen zu den Beeten sauber mit dem

Spaten abstechen und mit Kantensteinen begrenzen – jetzt kann der Garten sich sehen lassen! Von heute an, liebe Helga, wird das Rasenmähen zum reinsten Kinderspiel. Quasi ein „Selbstläufer"!

Irgendwann in dieser Zeit sind wir abends, als wir bereits im Bett liegen, unterschiedlicher Meinung. Wir kommen auf keinen gemeinsamen Nenner. Genervt, aber liebevoll, soweit es bei dieser Bezeichnung möglich ist, sage ich zu ihr, „Helga, du bist doch eine alte Riwwelkuh!" Sie lacht. „Was ist denn eine Riwwelkuh, diesen Ausdruck habe ich ja noch nie gehört! Wenn ich eine alte Riwwelkuh bin, dann bist du ein alter Riwwelochse!" Wir müssen beide herzhaft lachen, unsere Meinungsverschiedenheit ist vergessen. Sie schmiegt sich an mich und wir schlafen entspannt, vielleicht sogar glücklich, ein.

Und Helga hat einen neuen Ausdruck für ihre Dialekt-Sammlung, in der aber nach wie vor der Begriff „Spinnebbehuddl" ihr Favorit ist.

Seit sieben Jahren sind wir mittlerweile ein Paar. Da ich jedes Wochenende bei ihr bin, muss ich – ich gehe ja auch noch arbeiten – bei mir daheim in Neudorf alle laufenden Tätigkeiten in Haushalt und Garten, sowie kleinere Reparaturen, unter der Woche erledigen. Jetzt steht eine größere Sache an. Bis zum Frühjahr hatte ich zwei Gewerberäume vermietet. Nach Kündigung der Mieterin habe ich mich entschlossen, nicht mehr zu vermieten. Daran ändert sich nichts, als meine geschiedene Frau davon Wind bekommt und in den Räumen ein Geschäft eröffnen möchte. Als Helga von der Absicht meiner Ex erfährt, ist sie sichtlich aufgebracht. „Du wirst sehen, sie bringt dich so weit, ihr die Räume zu geben und nach einem halben Jahr zieht sie wieder bei dir ein!" „So ein Quatsch", sage ich. „Ich werde nicht mehr vermieten!" Ich verstehe ihre Aufregung nicht. Obwohl – vielleicht weil ich mal andeutete, dass es in ihrer Ehe nicht zum Besten zu stehen scheint. Meine Ex ist schon viele Jahre mit ihrem zweiten Mann verheiratet, länger als mit mir, und sie haben einen gemeinsamen Sohn.

Wieder zurück ... Das ganze Erdgeschoss soll etwas umgestaltet werden: Neben den Gewerberäumen habe ich in dieser Etage noch ein Gästezimmer und Kevin seine Küche und ehemaliges Kinderzimmer. Das Gästezimmer soll er jetzt als Schlafzimmer dazubekommen und ein eigenes Bad. So war es vor vielen Jahren schon einmal, als ich das komplette Erdgeschoss vermietet hatte, nachdem ich meinen Bruder auszahlen musste und Geld für die Rückzahlung des dafür aufgenommenen Darlehens benötigte. Kevin liegt mir deswegen schon lange in den Ohren. Er möchte auch endlich eine komplette Wohnung haben, wie sein Bruder Martin und dessen Freundin Carina, die das gesamte Hintergebäude bewohnen.

Mit den Arbeiten beginne ich im Herbst, nachdem bei Helga alles auf dem Laufenden ist. Immer mal wieder bleibe ich ein Wochenende zuhause. Zunächst renoviere ich die

Gewerberäume, dann räumen wir das Gästezimmer um. Von Kevins Küche zum späteren Schlafzimmer durchbrechen wir die Wand für eine Tür, und die Tür zum Flur wird mit Sonorock und einer Spanplatte verschlossen. Genauso wie es vor Jahren war. Die neue Tür bauen wir ein und tapezieren. Das Schlafzimmer ist fertig. Schwieriger wird das Bad, genauer gesagt Dusche, WC, Waschbecken. Dieser kleine Raum mit Einbauschrank dient inzwischen als Durchgang vom Treppenhaus zu Kevins Küche, muss wieder abgetrennt werden. Den Zugang zu seiner Wohnung hat er eh vom Hof her über die Terrasse.

Aber dieses Projekt werde ich erst nach den Feiertagen in Angriff nehmen. Jetzt habe ich erst einmal genug, mir reicht's.

Das Ende?

Adventszeit. Helga hat alles geschmackvoll dekoriert, mir wieder einen Adventskranz für zuhause mitgebracht. Und am zweiten Advent hat jeder dem anderen einen kleinen Nikolaus auf den Frühstückstisch gestellt. Wie jedes Jahr. Unser achtes gemeinsames Weihnachtsfest steht vor der Tür. Aber dieses Jahr ruft sie mich an, sagt, sie sei krank, ich solle nicht kommen, um mich nicht anzustecken. Ich fahre trotzdem. Ihre Erkältung zieht sich über die Feiertage hin – zu essen gibt es dieses Jahr Schweinelende – und so wie es ihr langsam besser geht, geht es mir schlechter. Am dreißigsten Dezember telefoniert sie vormittags mit ihrer Mutter. In deren Küche ist ein Eckventil defekt, das wolle sie sich nachmittags anschauen und nächste Woche müsste es ein Sanitärinstallateur austauschen. Sie sei bestimmt nach einer Viertelstunde wieder da, vielleicht würde sie auch Dieter schicken. Als sie am Nachmittag aufbricht, liege ich, noch leicht angeschlagen, auf dem Sofa. Die Zeit vergeht, ich warte, muss demnächst kochen. Zu meiner Schande muss ich gestehen, dass ich nicht auf die Idee komme, sie anzurufen und zu fragen, was denn „Sache" sei. Sie auch nicht. Nach über drei Stunden kommt sie zurück, ich gehe in die Küche, kochen, und erst nach dem Essen frage ich in aller Ruhe, was sie denn die ganze Zeit bei ihrer Mutter gemacht habe. Sie und Dieter hätten das Eckventil ausgetauscht, aber es sei schwierig gewesen, hätte nicht gleich geklappt.

Warum sie mir das nicht gesagt hätte, frage ich sie, ich sei von einer Viertelstunde ausgegangen. Ich sei ja so teilnahmslos auf dem Sofa gelegen, als sie gegangen sei, entgegnet sie. Damit ist die Sache für mich erledigt. Nicht aber für Helga. Als wir im Bett liegen, greift sie die Geschichte nochmals auf, redet sich in Rage und wirft mir wieder mal meine negativen Eigenschaften vor. Dabei erfahre ich auch, dass sie sich einen Urlaub (über meinen Geburtstag!) nicht so vorstellt, dass nur zwischen Speisesaal und Zimmer gepilgert wird ... Ich verstehe nicht, warum sie ein solches Fass aufmacht, sage aber nichts dazu. In so einem Moment hat es keinen Wert ihr zu antworten. Und streiten, das habe ich ihr von Anfang an gesagt, kommt für mich in einer Beziehung nicht mehr infrage. Morgen ist sowieso wieder alles vergessen. So ist es auch, bzw. so scheint es auch zu sein. Ich fühle mich besser und nach dem Frühstück gehen wir ins Büro, um ein wenig zu arbeiten. Abends gibt es Zwiebelrostbraten, einen Tisch haben wir dieses Jahr nicht reserviert. Von zuhause habe ich eine Flasche Champagner mitgebracht, freue mich schon die ganze Zeit darauf, sie zusammen mit Helga zu trinken. Letztes Jahr leerten wir zwei Flaschen Sekt aus, da sie gekippt waren, das möchte ich dieses Jahr vermeiden. Nach dem Essen ziehen wir uns aufs Sofa zurück, schauen fern. Bis um halb zwölf. Dann steht Helga auf, sie sei müde, wolle schlafen gehen. Das könne sie doch nicht machen, protestiere ich! Doch, sie sei müde. Sie geht. Ich bleibe noch bis null Uhr, gehe dann ebenfalls schlafen, wünsche ihr eine gute Nacht und ein gutes neues Jahr. Sie murmelt irgendetwas vor sich hin. In dieser Nacht liege ich lange wach. Helgas Verhalten gibt mir sehr zu denken. Sie hat nicht mit mir auf das neue Jahr angestoßen! Ich versuche zu verstehen, was gerade passiert, aber es gelingt mir nicht. Ich bleibe bis Dreikönig, helfe ihr im Büro, damit alles fristgerecht erledigt wird.

Helga ist äußerst kompetent, ihr Name hat einen ausgezeichneten Ruf in der Branche. Da ist es kein Wunder, dass sie sich vor Aufträgen kaum retten kann. Aber, so gut die Firma auch läuft, es gibt einen kleinen „Wermutstropfen". Mit einem ihrer Mitarbeiter ist Helga absolut nicht zufrieden. Er ist zu unflexibel, zu langsam und hoffnungslos überbezahlt, für das was er leistet, findet sie. Immer wieder kommt es zu Spannungen zwischen den beiden. Ich sehe, wie sehr sie das belastet, und rate ihr, ihm eine Abfindung anzubieten und zu kündigen. Das käme nicht in Frage, sie werde das Problem auf ihre Weise lösen.

Inzwischen beginnen die Handwerker bei Helga mit der Sanierung des Bads im Dachgeschoss, was mit viel Schmutz verbunden ist. Geplant war das schon seit Herbst, ich hatte sie damals beim Aussuchen der Fliesen und Sanitärgegenstände begleitet. Die Arbeiten dauern bis Anfang Februar. In dieser Zeit halten Dieter und Anna sich viel in Helgas Wohnung auf, benutzen Bad und Toilette im EG mit. Wir haben vereinbart, dass ich in dieser Zeit zuhause bleibe. Arbeit habe ich zur Genüge. Und unserer Beziehung tut ein wenig Abstand im Moment bestimmt ganz gut.

Als Erstes räume ich den Keller auf und schaffe Platz, damit meine Handwerker überhaupt arbeiten können. Dann baue ich den Einbauschrank im zukünftigen Bad ab, klopfe vorsichtig die Wand auf, um festzustellen, wo die alten Wasser- und Abwasserleitungen verlaufen. Zwischendurch klemmt ein Elektriker meine Stromzähler um, der Internetanbieter verdrahtet die Anschlüsse im Keller neu und erdet die Anlage. Zu allem Überfluss fährt mir noch jemand ins Auto; ein Schaden, den ich zunächst von einem Gutachter bewerten lasse, bevor die Versicherung des Unfallverursachers ein weiteres Gutachten erstellen lässt.

Anfang Februar habe ich einen Termin mit einem Sanitärinstallateur. Ich will die Arbeiten unbedingt im zeitigen Frühjahr erledigen lassen, nachdem wir mit dem Abarbeiten von Helgas Aufträgen auf dem Laufenden sind, und bevor die Gartensaison wieder losgeht. So ist der Plan. Nur, leider meldet sich der Installateur nach Abgabe des Angebots nicht mehr. Trotz mehrerer Nachfragen meinerseits reagiert er nicht. Vielleicht war ihm der Auftrag zu klein.

Helgas Bad ist inzwischen fertig. Geräumig, hell und freundlich. Ich nehme mir eine Woche Urlaub, fahre zu ihr, helfe ihr die ganze Zeit, Aufträge abzuarbeiten.

Apropos Sanitärinstallateur ... Gerhard und Sieglinde laden uns zum Essen in ein Restaurant ein. Es ist wieder ein gelungener Abend, den Abschluss machen wir spontan bei uns.

Dieses Mal wird nicht gefrotzelt, ich gebe acht, nichts Falsches zu sagen. Ich möchte Helga nicht mit irgendeiner Äußerung kränken, nicht mal im Spaß. Der Abend verläuft ausgesprochen harmonisch, gut gelaunt lassen wir ihn ausklingen. Perfekt.

Über Fasching fahre ich wieder eine Woche zu Helga, arbeite für ihre Firma. Alles wird fristgerecht fertig, dringende sonstige Tätigkeiten fallen im Moment keine an, die Gartensaison hat noch nicht begonnen.
So nehme ich mir Zeit, bleibe das eine oder andere Wochenende zuhause um endlich einige Dinge aufzuarbeiten, die schon seit Jahren liegengeblieben sind. Dafür fahre ich immer ein paar Tage länger zu ihr, nicht nur Freitag bis Sonntag.

Inzwischen ist Frühling. Im Gartencenter holen wir die ersten Salat- und Gemüsepflanzen, die man schon vor den Eisheiligen setzen kann. Zuvor aber muss ich den Gemüsegarten umgraben. Fällt mir dieses Jahr ausgesprochen schwer. Der Boden scheint härter zu sein, als die Jahre zuvor. Alles auf einmal umgraben? Unmöglich! Immer nur so viel, wie ich zum Einpflanzen gerade brauche. So etwas habe ich noch nicht erlebt, ich habe keinen Antrieb, keine Kraft. Dabei liebe ich Gartenarbeit, hauptsächlich im Frühjahr, über alles ...

Im Haus gibt es eine kleine Reparatur durchzuführen. Helga hat nach dem Aufstehen festgestellt, dass die Wasserleitung unterhalb eines Waschbeckens tropft. Den Unterschrank hat sie ausgeräumt, denkt, das Eckventil sei defekt, hat es schon zugedreht. Ich schaue es mir an, beruhige sie, es ist der flexible Schlauch, nicht das Eckventil. Halb so schlimm. Gleich nach dem Frühstück mache ich ihn ab und sie besorgt im Baumarkt einen neuen, den ich dann montiere. Keine schwierige Aufgabe, unbequem ist nur die Haltung, die man einnehmen muss, um unterhalb des Waschbeckens, im Unterschrank mit zwei Gabelschlüsseln arbeiten zu können.

Ein größeres Projekt steht dieses Jahr noch an: Im Keller sollen, quasi als zusätzliche Absicherung, zwei, mit Rückstauklappen versehene Bodenabläufe und eine weitere Rückstauklappe eingebaut werden. Mit Gerhard hat Helga alles schon mal grob besprochen. Heute gehen wir es nochmals gedanklich durch, überlegen, in welchem Raum die Arbeiten am besten beginnen sollten, finden auch eine gute Lösung. „Ruf mal den Gerhard an und sag ihm, wo er anfangen soll", sagt sie in forschem Ton. „Er wird schon wissen, wo er anfangen muss, er ist ja Fachmann und sogar Meister!", entgegne ich. „.... Besser du sagst es ihm", meint sie ergänzend. „Aber Helga, jetzt warte doch erst mal ab bis sie loslegen, dann kann ich es ihm immer noch sagen, oder warte wenigstens, bis er das Angebot bringt!"

Sie sagt nichts mehr, aber ich merke, an diesem Abend ist sie sauer auf mich.

Zuhause in Neudorf habe ich inzwischen einen Termin mit einem anderen Sanitärinstallateur. Kevin hatte die Idee, einen Freund zu fragen. Er schaut sich alles an, will es übernehmen, notiert das notwendige Material, müsse nur schauen, dass er eine passende Presszange bei seinem ehemaligen Arbeitgeber bekommt. Er arbeitet seit kurzem nicht mehr in seinem Beruf. Leider, es ist wie ein Fluch, höre ich auch von diesem Handwerker nichts mehr.

Über Ostern habe ich wieder eine Woche Urlaub genommen, bis dienstags fahre ich zu Helga. Diesmal ist im ganzen Garten Unkraut jäten angesagt. Es ist schon sehr heiß, mehrmals wird mir nach dem Bücken schwindelig, muss ich mich auf die Hacke stützen. Als Helga es bemerkt, bringt sie mir einen Strohhut gegen die starken Sonnenstrahlen, ermahnt mich, immer mal wieder in den Schatten zu gehen. Beim Kaffeetrinken am Samstagnachmittag frage ich sie, ob wir nicht mal, wie wir es schon vor Jahren vorhatten, ins Tessin fahren wollten. Ich könne ja recherchieren, meint sie. Viel lieber würde ich das mit ihr zusammen tun, mal wieder etwas gemeinsam planen, so wie früher. Das vermisse ich. Aber dafür hat sie keine Zeit, ich solle es alleine machen. So kommt es, dass ich am Ostersonntag am PC sitze, während Helga und Dieter die Abwasserleitung mit dem Gartenschlauch durchspülen. Ich suche nach passenden Hotels für unseren Tessinurlaub; Halbpension, nur keine Dreiviertel-Verwöhnpension um ein etwaiges Pendeln zwischen Speisesaal und Zimmer von vorneherein zu vermeiden ...

Schließlich habe ich vier zur Auswahl, zwei größere, zwei kleinere, Hunde erlaubt, preislich im Rahmen, kaum teurer als Südtirol. Ich drucke die Angebote aus, freue mich, jetzt können wir gemeinsam entscheiden, welches wir nehmen. Helga wirft einen kurzen Blick darauf, schiebt dann alles beiseite. „Das ist mir zu teuer und die Leute dort sind mir zu überkandidelt. Und überhaupt, ich will gar nicht ins Tessin!" Ich bin von den Socken. „Da lässt du mich recherchieren, um mir dann zu sagen, dass du gar nicht hin willst? Das hängt mir zu hoch!" Es ärgert mich granatenmäßig! Aber, was will ich machen, nach einer Weile beruhige ich mich wieder.

Am Ostermontag, wir sind gerade aufgewacht, sagt sie leise zu mir, wie schade sie es fände, dass ich morgen schon wieder heimfahren müsse, das sei immer so blöd. Ob ich nicht ein paar Tage Urlaub dranhängen oder krank machen könne. Finde ich sehr lieb von ihr, geht natürlich nicht, wie wir beide wissen.
Den Nachmittag wollen wir gemütlich auf der Terrasse verbringen. Helga hat zwei Stückchen Kuchen gekauft, der Kaffee ist schon durchgelaufen. Sie geht voraus, um den Tisch abzuwischen. Ich trage das Tablett mit Kaffee und Kuchen hinterher. Sie ist bereits draußen, als ich sie sagen höre: „Aber der Freddy ist noch da!" „Das macht doch nichts!", antwortet eine Stimme. Es ist ihre Mutter. Vielleicht dachte sie, ich sei schon wieder abgereist, auf jeden Fall ist es das erste Mal seit zwei Jahren, dass sie Helga besucht, wenn ich da

bin. Ich freue mich, hatte immer einen guten Draht zu ihr und nie so recht verstanden, warum sie eigentlich weggeblieben war. Ich begrüße sie, wir unterhalten uns, genauer gesagt erzählt hauptsächlich Frau Schmitt. Es ist, als wäre sie letzte Woche noch dagewesen. Sie bleibt zwei Stunden, und als sie sich verabschiedet, ist alles wie früher. Schön!

Am Abend gehen wir zum Essen in die Grüne Rebe. Helga isst ein Schnitzel, trinkt eine Apfelschorle, ich esse meinen beinahe schon obligatorischen Zwiebelrostbraten, trinke zwei Bier. Nach dem Bezahlen sage ich zu ihr, dass ich die beiden Pilsner spüre. Zuhause machen wir es uns vor dem Fernseher gemütlich. Helga schaltet irgendetwas ein, steht dann auf, sagt, sie müsse schnell mit Willi rausgehen. Wieder zurück, fragt sie mich, was ich anschaue. Weiß ich nicht. „Gibt's doch nicht, du musst doch wissen, was du anschaust!" „Ich bin kurz eingenickt." „Du kannst doch nicht schon wieder müde sein, das ist doch nicht normal! Du hast ja schon wieder schlechte Laune, dann sprichst du noch weniger als sonst, damit kann ich nicht umgehen, du gehst nicht mit dem Hund mit mir weg und bist nicht mit zum Gartencenter gegangen, kommst nicht raus aus deinem Loch..." Ich entgegne ihr, dass wir doch das Wochenende zuvor im Gartencenter waren, und diese Woche nicht die Rede davon war. Ja, sie hätte mich nicht gefragt, weil sie genau wusste, dass ich eh nicht mitgehen würde! Ich frage sie dann nur noch, was an diesem Ostermontag passiert sei, dass sie ihre Meinung von morgens bis abends so radikal geändert hat. Aber darauf gibt sie mir keine Antwort.

Am nächsten Abend, wieder daheim in Neudorf, teile ich ihr am Telefon mit, dass diesmal ich eine Auszeit brauche.

In dieser Zeit bringe ich endlich auch meinen Garten, der es ebenfalls bitternötig hat, auf Vordermann.
Und der dritte Sanitärinstallateur schaut sich die Baustelle an. Wir gehen alles zusammen durch, er will neue Leitungen legen, sagt mir, wie weit ich noch aufklopfen muss, und nennt auch schon den Termin, wann er mit den Arbeiten beginnen will. Leider erst nach seinem Jahresurlaub, aber immerhin, es tut sich was. Ich bin zuversichtlich, dass es mit ihm klappen wird.

Es vergehen ungefähr zwei Wochen, da ruft abends Helga an. Ich hätte mich ja nicht gemeldet und sie wolle wissen, ob ich denn überhaupt noch Gefühle für sie hätte. Ob sie denn noch welche für mich empfinden würde, frage ich zurück. Ich könne eine Frage nicht mit einer Gegenfrage beantworten ... Ich formuliere um und sage, sie hätte es mir in letzter Zeit nicht gerade leicht gemacht ... Ich solle mir doch überlegen, ob ich überhaupt weitermachen wolle. Gleich am nächsten Tag rufe ich sie zurück, sage, ich würde mich sehr freuen, wenn wir es nochmals miteinander probieren würden. Einen Moment herrscht absolute Stille. Dann prasselt wieder dieses Trommelfeuer auf mich ein ... ja, aber dann müsse sich das und das und das und das ändern, und so etwas wie an ihrem Geburtstag wolle sie nicht mehr erleben, da wäre sie am liebsten aufgestanden und nach Hause gegangen ... Ich höre mir alles an, als sie fertig ist, sage ich zu ihr: „Weißt du, Helga, vor zwei Minuten habe ich zu dir gesagt, ich würde mich freuen, wenn wir es nochmals miteinander probieren würden. Es hätte gereicht, wenn du gesagt hättest, ja, ich mich auch!!" Irgendwie werde ich das Gefühl nicht los, dass sie auf eine andere Antwort gewartet hat.

Die kommenden Wochenenden fahre ich wieder zu ihr. Wir arbeiten ständig im Garten. Ich bringe ihr zunächst selbst gezogene Tomatenpflanzen von zuhause mit, „Statt Blumen", sage ich, und verschiedene Irisknollen aus meinem Garten. Im Gartencenter kaufen wir weitere Gemüse- und Salatpflanzen dazu und einige Stauden zur Ergänzung entlang der Hecke. Wie jedes Jahr. Und obwohl, wie bereits erwähnt, Gartenarbeit zu meinen Lieblingsbeschäftigungen gehört, ist dieses Jahr alles anders. Zu meinem Schwindel, der immer wieder auftritt, ist es mir samstags nach dem Frühstücken kaum möglich aufzustehen. Meine Beine sind schwer, einige Male sage ich zu Helga, am liebsten würde ich mich aufs Sofa legen. Dann müsse ich zum Arzt gehen, meint sie. Ich bräuchte nur mal meine Ruhe, etwas Erholung, widerspreche ich. Ich verstehe es nicht. Es liegt doch nichts an, das dringend erledigt werden muss, wie immer in den Vorjahren. Einmal, wenigstens einmal, könnte sie doch sagen: Ruh dich aus, leg dich heute mal aufs Sofa! Nach acht anstrengenden Jahren sollte dies doch mal möglich sein! Stattdessen wirft sie mir meine negativen Eigenschaften vor. Wobei, bei zweien hat sie nicht ganz unrecht:

„Du hast ja schon wieder schlechte Laune!" „Aber Helga, ich habe doch keine schlechte Laune!" „Ich sehe doch, dass du schlechte Laune hast!" „Wieso soll ich denn schlechte Laune haben, ich habe ja gar keinen Grund dafür!" „Und du hast doch schlechte Laune!" Jetzt ist es so weit. Sie hat recht. Ich habe schlechte Laune. Und ich habe auch einen Grund dafür!

„Du bist gar nicht mehr charmant ..." Damit hat sie ebenfalls recht. Irgendwann in jüngster Zeit ist mein Charme wohl auf der Strecke geblieben, auch wenn ich ihr erst vor kurzem einen großen Strauß herrlich duftender weißer Pfingstrosen mitgebracht habe, über den sie sich sehr freute. Sie hat den Strauß, der immer kleiner wird, lange, bis zur letzten noch blühenden Knospe.

Nur eine Macke, die wirft sie mir nie vor. Ich weigere mich beharrlich, am Wochenende zum Bäcker zu gehen. Dabei stelle ich mir immer vor, in einer Reihe von Männern zu stehen, die zuhause der Pascha sind, und deren einziger Beitrag zum gemeinsamen Haushalt darin besteht, am Wochenende Brötchen zu holen. ... Schatz, hast du mir schon aufgeschrieben, was ich alles mitbringen soll? Drück mir doch noch den Müll in die Hand, den nehme ich gleich mit raus, so schlage ich zwei Fliegen mit einer Klappe, und du wirst entlastet ...

Nein. Mit solchen Männern will ich nicht in einer Reihe beim Bäcker stehen!

Und so holt Helga Brötchen, während ich die Betten mache und den Frühstückstisch decke, wie ich es von ihr gelernt habe, mit allem, was dazu gehört. Auch zwei weichgekochten Eiern, aber leider ohne Blümchen.

Ich bekomme auch ein Lob. „Der Garten ist sehr schön geworden, hat meine Mutter gesagt."
Der Garten ist mein ganzer Stolz. Es steckt eine Menge an Herzblut in ihm. Wie in jeder Arbeit, die ich bei Helga durchgeführt habe. Aber am meisten doch in der Außenanlage. Dann fügt sie hinzu: „Nächstes Jahr kaufe ich mir eine Hollywoodschaukel!" „Wieso erst nächstes Jahr?", frage ich. „Kauf dir doch dieses Jahr schon eine." „Nein, erst nächstes Jahr."
Das verstehe ich nicht. Ebenso wenig verstehe ich, warum ich in all den Jahren nie einen Hausschlüssel bekommen habe.
Aber ich verstehe, dass man wohl in keiner Beziehung alles verstehen kann.

Einmal in dieser Zeit erhält sie eine WhatsApp und lacht. „Oh", sage ich, „hast du eine lustige Nachricht bekommen?" „Ja", meint sie, „Dimitrios hat Fotos geschickt. Er würde es nie wieder machen, nur noch Hotels!", und ergänzt dies mit einer Bemerkung über seine Finanzen. Dimitrios unternimmt, mit einem Freund, Hund und Wohnmobil ohne Klimaanlage, seit geraumer Zeit eine Urlaubsreise in sein Heimatland.

Es ist Pfingstwochenende. Gleich, nachdem Helga mich vom Bahnhof abgeholt hat, fahren wir ins Gartencenter. Wir holen einige Salatpflanzen. Kaufen wir ständig nach, um das ganze Jahr über frischen Salat ernten zu können. Wie an jedem der letzten Wochenenden beschäftigen wir uns wieder im Garten.

Sonntag nachmittags, nach dem Kaffeetrinken, freue ich mich auf ein wenig Ruhe. Bis ich diesen einen Satz von ihr höre, den ich als „Krönung" empfinde: „Bevor dir langweilig wird, könntest du die Johannisbeeren einkochen!" „Nein!", sage ich, „Das sehe ich überhaupt nicht ein. Die liegen jetzt schon beinahe ein Jahr in der Tiefkühltruhe, da kommt es auf ein paar Tage nicht an!" Es geht nicht um frische aus dem Garten, die sind noch nicht reif, es geht um eingefrorene! Das ist das erste Mal in beinahe acht Jahren, dass ich deutlich „NEIN" sage. Pfingstmontag fahre ich wieder nach Hause.

Das kommende Wochenende bleibe ich daheim, klopfe die alten Wasserleitungen frei. Da erreicht mich eine WhatsApp von Helga. In einer halben Stunde käme Gerhard vorbei. Sie habe sich überlegt, wenn es mit meinem Sanitärinstallateur wieder nicht klappen sollte, würde sie mal einen Samstag mit ihm gefahren kommen. Das müsse doch zu machen sein!

Das ist das Schöne an Helga. Darin ist sie einmalig. Ich freue mich über ihr Angebot, darüber, dass sie sich auch über meine Probleme Gedanken macht.

An Fronleichnam fahre ich wieder zu ihr, ein etwas längeres Wochenende. Freitags gehen wir zum Baumarkt. Die Spültischarmatur in der Küche hat einen Haarriss, aus dem beim Aufdrehen etwas Wasser spritzt, muss erneuert werden. Wir kaufen eine neue, nehmen noch ein Päckchen Flexkleber mit, den ich für das Befestigen der Trittstufen im Steingarten benötige. Und einige Stauden. An diesem Wochenende werden wir im Garten ziemlich fertig. Er ist nahezu unkrautfrei, ich entferne zusätzlich sämtliche welken Blüten, dünge alle Rosen, Stauden und Obstgehölze, da fängt es schon an, leicht zu regnen. Ideal! Demnächst müsste ich unbedingt einen „Haushaltstag" einlegen, meint Helga. Ich weiß. Neben der Reparatur in der Küche ist eine Schublade im Schlafzimmer zu leimen, das Küchenfenster mal wieder nachzustellen, aber auch das ältere Gartenhäuschen dringend zu streichen. Dafür habe ich demnächst ausreichend Zeit. An diesem Samstagabend essen wir beim Griechen. Es ist eines der wenigen Male, dass ich die Rechnung übernehme – wie damals bei unserem ersten Treffen in Neustadt.

Am nächsten Morgen fährt Helga mich zum Bahnhof. Heute ist es wieder einmal ein Abschied, der mir schwerfällt. Es ist ein sehr harmonisches Wochenende gewesen.

Dienstags drauf kommt pünktlich, wie abgesprochen, der Sanitärinstallateur. Er arbeitet alleine, ich gehe ihm zur Hand. Wir entfernen die alten Leitungen, er installiert neue Absperrventile, legt die neuen Leitungen, verpresst sie. Es klappt perfekt. Ich solle ihm Bescheid geben, wenn ich alles verputzt habe, dann würde er wiederkommen. Noch am gleichen Tag trage ich den Haftputz auf. Samstags montiere ich zusammen mit Kevin die Komplettdusche. Gestaltet sich schwieriger als wir dachten, aber nach sechs Stunden ist es geschafft. Und am Sonntag ist der Haftputz trocken. Jetzt kann ich den Reibeputz auftragen. Die ganze Zeit über erhalte ich von Helga WhatsApps, wie weit wir seien, ich halte sie mit Fotos auf dem Laufenden. Gleich Montag morgens rufe ich den Installateur an, mache mit ihm einen neuen Termin für kommenden Donnerstag aus. Die einzubauenden Sanitärgegenstände habe ich alle schon längst gekauft. Auch diesmal klappt alles reibungslos. Zunächst wird die Fertigdusche installiert, dann das Stand-WC und zum Schluss das Waschbecken. Hierfür muss er eine Siphonverlängerung besorgen. Zwischenzeitlich probiere ich die WC-Spülung aus und erschrecke ... Irgendwo tritt Wasser aus! Als er zurück ist und den Siphon montiert hat, stellt er nach erneutem Betätigen der Klospülung fest, dass das Wasser aus einem klitzekleinen Loch im Stand-WC austritt. Ein Materialfehler! Das darf doch nicht wahr sein! Es hat doch alles so schön geklappt! Er muss das WC wieder ausbauen, ich werde versuchen, das gleiche zu bekommen und mich dann bei ihm melden ...

Ich bin etwas genervt. Gerade als ich mich auf den Weg zum Baumarkt nach Grölingen machen will, ruft Helga an. Wie weit wir seien ... Ich erzähle es ihr. Ich solle ihr doch die Bezeichnung des WC's mitteilen, sie wolle im Internet nachschauen, ob der Baumarkt in Loden eins vorrätig hätte, das würde sie notfalls besorgen. Sie hätte es mir gebracht!! Ich schicke ihr zwei Fotos mit den Daten, rufe sie aber kurz darauf zurück, das brauche sie doch nicht, wenn ich das gleiche nicht mehr bekäme, würde ich ein ähnliches nehmen. Ich bekomme tatsächlich nochmals ein identisches, teile dies Helga mit und mache einen neuen Termin mit dem Handwerker aus. Er könne morgen, Freitag um dreizehn Uhr. Geht nicht, sage ich, um elf Uhr verreise ich. Es müsste vorher sein. Er überlegt kurz, meint, es sei ja schnell erledigt, dann schon um acht Uhr. Passt!

Am Abend telefoniere ich mit Helga, sage ihr, dass der Installateur am nächsten Morgen schon um acht kommen und das neue WC installieren wird. Auf ihre Frage, wann ich dann in Loden sei, antworte ich, wie immer um dreizehn Uhr fünfundfünfzig. Da sie an diesem Freitagnachmittag Holz geliefert bekommt, und wir bestimmt bis zum frühen Abend mit dem Einschichten beschäftigt sein werden, beschließen wir, nicht zu kochen und uns Pizzen zu bestellen.
Es ist alles geklärt, der Plan für den nächsten Tag steht. Ich bin froh, dass dieses leidige Kapitel „Dusche" morgen endlich abgeschlossen sein wird.

Pünktlich am Freitagmorgen kommt der Installateur, schließt das Klo an.

Jetzt muss ich nur noch zusammen mit Kevin den Durchgang zum Treppenhaus mit Spanplatten verschließen.

Um halb neun klingelt das Telefon. Es ist Helga.

Zunächst fragt sie, ob der Handwerker schon da gewesen sei. Das bejahe ich, es habe alles wunderbar geklappt. Dann fährt sie fort, sie habe sich überlegt, es sei besser, wenn ich dieses Wochenende nicht kommen würde. Ich sei ja noch genervt von meinen Sanitärarbeiten und das Holz käme erst morgen früh um neun Uhr dreißig, sie müsse daher früh aufstehen und, egal, ob ich mithelfen oder nur zuschauen würde, meine schlechte Laune könne sie dann nicht auch noch ertragen!

Ich bin sprachlos. Mir fehlen die Worte. Es war doch alles schon besprochen! Und jetzt das?! „Okay", stammle ich, „wenn du meinst, bleibe ich zuhause."

An diesem Freitag mache ich nicht mehr viel. Zu tief sitzt der Schock. Ich hatte mich so auf das Wochenende mit Helga gefreut, nach aller Anspannung der letzten Zeit. Ich verstehe sie nicht.

Am Samstag, nachmittags, fragt mich Martin, ob ich ihm helfen könne, mit Waschbetonplatten einen Platz für seinen Grill zu gestalten.
Wir holen vom Baumarkt neun Platten, legen sie, nachdem der Untergrund vorbereitet ist, und eine Stunde bevor seine Gäste kommen, ist der Grillplatz fertig, ist es geschafft, und ich bin es auch!

Ich telefoniere am Abend mit Helga. Sie ist sehr leise. Ich frage, ob ich sie geweckt hätte. Nein, sie habe nicht geschlafen, es gehe ihr nicht so gut, Anna auch nicht. Es sei sehr anstrengend gewesen. Wir haben schon sehr viel zusammengearbeitet, aber so down habe ich Helga noch nicht erlebt! Ich rate ihr ein Glas Rotwein zu trinken und früh schlafen zu gehen, dann sei sie am nächsten Tag wieder fit.

Es lässt mir keine Ruhe. Schon am Sonntagmorgen rufe ich sie an. Mache mir Sorgen, will wissen, wie es ihr geht. Sie nimmt nicht ab, ruft nicht zurück. Ich probiere es nochmals am frühen Nachmittag. Wieder geht sie nicht dran, ruft nicht zurück. Jetzt mache ich mir erst recht Sorgen. In acht Jahren hat es so etwas noch nicht gegeben, dass wir einander nicht sofort zurückgerufen haben. Am Abend erreiche ich sie endlich. „Du bist ja doch zuhause", sage ich. „Ich dachte, du seist weg, ich habe schon zweimal versucht, dich zu erreichen." „Wo soll ich denn gewesen sein? Vielleicht war ich im Keller oder mit dem Hund raus, du hättest es öfter probieren müssen!" Sie ist ziemlich aggressiv, das genaue Gegenteil vom Abend zuvor. Nach diesem Telefonat entschließe ich mich an meinem Geburtstag in neun Tagen, er fällt auf einen Dienstag, zuhause zu bleiben und nicht zu ihr zu fahren.

Als wir montagabends telefonieren, ist sie immer noch gereizt. Fragt mich, ob ich schon Urlaub geplant habe. Nein, entgegne ich, erst müsse ich alles fertigstellen, etwas zur Ruhe kommen, dann würde ich Urlaub nehmen. Was an meinem Geburtstag sei, fragt sie. „Bleibe ich dieses Jahr zuhause". „Gut, dass man das auch einmal erfährt!" Ich weiß es ja selbst erst seit gestern, und sonst noch niemand. Ihr habe ich es zuerst gesagt.

Dann gibt sie mir als Aufgabe, für Dieter eine Berufsunfähigkeitsversicherung rauszusuchen, für meine beiden Jungs hätte ich es doch auch getan, und Zeit hätte ich ja genügend! Sie gibt mir ein paar Daten von Dieter durch, dann ist das Gespräch beendet.

Am Dienstagabend versuche ich viermal, sie zu erreichen. Jedes Mal ist der Anrufbeantworter eingeschaltet, sie nimmt nicht ab und ruft nicht zurück. Am Mittwochabend probiere ich es wieder einige Male, diesmal ist der AB aus, sie geht nicht ans Telefon und ruft nicht zurück. Ein letztes Mal versuche ich es donnerstagabends, wieder öfter. Der AB ist wieder an, sie nimmt nicht ab, ruft nicht zurück.

Ich resigniere. Wenn dies das Ende unserer Beziehung ist, dann soll es so sein. Ich kann nicht mehr, bin physisch am Ende, will nur noch meine Ruhe haben.

An meinem Geburtstag schickt sie mir eine kurze WhatsApp, für die ich mich bedanke, abends kommen meine engsten Freunde. Aber, zum Feiern ist mir dieses Jahr nicht zumute.

An ihrem Geburtstag, neun Tage später, schicke ich ihr vormittags ebenfalls eine WhatsApp, nachmittags erhalte ich von ihr zwei Pakete mit meiner gesamten Kleidung und sonstigen Utensilien zugeschickt. Außer einem kleinen Werkstück, das ich während meiner Reha angefertigt habe.

Jetzt ist die Trennung endgültig. In diesem Moment bricht für mich eine Welt zusammen, unsere Welt, in der wir acht Jahre lang miteinander gelebt haben.

Meine Anrufe hat sie nicht entgegengenommen, sie antwortet auf keine WhatsApp und keine Mail. Die Suche nach dem Warum, dieses Warten auf eine Antwort ist qualvoll, grausam, das habe ich nicht verdient.

Von Dieter und Anna verabschiede ich mich per WhatsApp, Helgas Mutter schreibe ich einen Brief, den sie mir ungeöffnet in einem größeren Kuvert wieder zurückschickt.

Es dauert Wochen, bis ich mich von der Trennung, und der Art und Weise, wie sie ablief, erhole. Ich höre viel Musik, lerne, alleine essen zu gehen.

Dann ist November. Der Winter steht vor der Tür. Ich glaube alles überstanden, verarbeitet zu haben, gebe sogar eine Annonce auf. Unter den Zuschriften ist eine mit Foto. Mich trifft beinahe der Schlag: diese Ähnlichkeit!! Urplötzlich ist alles wieder da! Ich schlafe abends nicht mehr ein, liege halbe Nächte wach, suche nur noch nach dem Grund für die Trennung. Und irgendwann dämmert es mir. Meine Vermutung ist Dimitrios, der reiche Grieche, zu dem ihr Kontakt nie abgebrochen war. Über Umwege wird mir dies bestätigt. Er ist der neue Mann an Helgas Seite!

Als ich das erfahre, zieht es mir so dermaßen den Boden unter den Füßen weg, wie niemals in meinem Leben zuvor. Ich falle nicht nur in ein tiefes Loch, ich stürze einen Abgrund hinunter.

Bis ich das Geschehene verkrafte, wird es Monate dauern. Viele Monate, umgeben von einer kaum zu ertragenden, alles umhüllenden Leere.

Erkenntnisse

Es ist schwierig, den Zeitpunkt zu bestimmen, zu dem das Ende unserer Beziehung eingeläutet wird. Lapidar könnte man sagen, in dem Moment, als wir uns entschlossen, eine Partnerschaft miteinander einzugehen ...

Dabei ist der Beginn, nach hausgemachten Anfangsschwierigkeiten, doch ideal gewesen: Wir sind beruflich vom gleichen Fach, beide bodenständig, nicht abgehoben. Wir haben oft die gleichen Gedanken, ähnlichen Humor und wir ergänzen uns. Während Helga beispielsweise gern und viel redet, höre ich lieber zu. Während sie die Küche am liebsten zumauern würde, koche ich ganz gern.

Und: Zumindest kann ich das von mir sagen, aber auch bei Helga bin ich mir da sicher, wir lieben uns. Eigentlich ideale Voraussetzungen für eine glückliche, bleibende Partnerschaft.
Natürlich hat jeder seine Schwächen. Aber, diese werfe ich Helga nie vor und sie mir meine in den ersten Jahren auch nicht. Schwächen, Macken, gehören dazu, ich liebe einen Menschen in seiner Gesamtheit, nicht nur seine positiven Eigenschaften. Und, sie können auch eine Bereicherung, das „Salz in der Suppe" einer intakten Beziehung sein. Aber eben nur in einer intakten! Diesen feinen Unterschied erkenne ich leider erst viel zu spät. Der Augenblick, als Helga

mir das erste Mal vorwirft, zu wenig zu reden, ist vielleicht der Zeitpunkt, als die Beziehung erstmals in Schieflage gerät. Bereits da wäre höchste Zeit für ein klärendes Gespräch gewesen.

Immer wieder frage ich mich, was der Grund für diese abrupte Trennung, ohne irgendeine Erklärung, war.

Was ist an diesem Wochenende geschehen, dass Helga ihre Meinung von Donnerstagabend auf Freitagmorgen so radikal änderte?

Wie hatte sie doch gleich zu Beginn in Bezug auf das ständige Fremdgehen ihres geschiedenen Mannes, das sie so unendlich verabscheute, gesagt: Wenn sie ein solches Verhalten feststellen würde, wäre das ein Grund für eine sofortige Trennung.

Nein! Ich habe sie niemals betrogen. Auch nicht hintergangen oder belogen, habe immer treu zu ihr gehalten. Sie konnte sich in allem auf mich verlassen.

Sollte dann ... und das ist jetzt rein hypothetisch ... sollte dann sie mich betrogen haben? Aber das würde ja bedeuten, dass sie sich auf die gleiche Stufe mit ihrem Ex stellt, den sie doch deswegen so verurteilt hat. Dann wäre sie ja keinen Deut besser als er!
Nein, das kann und will ich nicht glauben!

Aber wie kann es sein, dass man acht Jahre lang jeden Tag miteinander telefoniert, sich beinahe täglich bis zuletzt WhatsApps schickt, am Donnerstagabend gemeinsam den nächsten Tag plant, und ab Freitagvormittag ist nichts mehr, wie es war?

Und wie kann es sein, dass die Frau, die ich acht Jahre lang als Partnerin hatte, die mir am meisten auf der Welt bedeutete und mit der ich so vieles zusammen geplant, geschaffen und durchgestanden, aber auch gelacht habe, mit der ich intim war, der ich blind vertraute, mich so sehr verletzt und so eiskalt fallen lässt?

War die Wertschätzung zuvor so gering? Wo ist der respektvolle Umgang miteinander, auf den Helga immer so großen Wert gelegt hat? Ich verstehe es nicht. Ich weiß nur, dieses Warten auf eine Antwort von ihr bringt mich schier um den Verstand.

Bitte, Helga, sprich mit mir, ich bin's doch, dein Freddy! Kennst du mich nicht mehr?

Fakt ist, und meine feste Überzeugung: Durch unser ständiges Arbeiten (müssen), kaum war ein Projekt beendet, folgte schon das nächste und übernächste, waren wir in einem Hamsterrad gefangen, was uns letztendlich die Beziehung kostete. Für Helga, und somit auch für mich, war arbeiten das Wichtigste. Aber, je mehr ich dadurch versuchte sie zu entlasten, desto mehr ging es mir an die Substanz und umso weiter haben wir uns voneinander entfernt. Zeit für sie blieb dabei nicht. Das ist unverzeihlich! Somit habe ich sie unwillkürlich in die Arme eines Anderen getrieben.

Oder kam es zu dieser Trennung wiederum nur aufgrund eines Missverständnisses, wie zu Beginn unseres Kennenlernens?

Oder lag es gar nicht an meinem Verhalten? Wurde auch hier alles im Vorfeld geplant, gelenkt, vielleicht nur billigend in Kauf genommen, da mein Nachfolger bereits in den Startlöchern stand?

Ich werde es wohl nie erfahren, und wie so oft wird die Wahrheit irgendwo dazwischen liegen.

Durch die Trennung habe ich sechs Kilogramm abgenommen und das erste Mal seit Jahren Zeit. Viel Zeit. Im Spätsommer habe ich unter anderem Marmelade eingekocht: Feige-Pfirsich-Marmelade. Helga hatte ja so recht gehabt: Nur Feigen – da fehlte eine harmonische Ergänzung, ein Ausgleich zu einem wundervollen Ganzen, einer wunderbaren Verbindung.

Helga, so solltest du nicht mit einem Menschen umgehen, für den DU immer das Liebste auf der Welt warst, und der dir selbst vielleicht einmal etwas bedeutete.

Mach's gut, gib auf dich acht, ich liebe dich!

Beim Einschlafen taste ich nach ihrer Hand und greife ins Leere, höre ihre Stimme, „Wo bist'n du?" – Kuss.